Pamela J. Balantyff

6.95

Pamela J. Balantyff

Culhwch ac Olwen

Culhwch ac Olwen

Cyfaddasiad newydd gan
Gwyn Thomas

Darluniwyd gan Margaret Jones

GWASG PRIFYSGOL CYMRU
ar ran
CYNGOR CELFYDDYDAU CYMRU
1988

CULHWCH AC OLWEN

HANES TAD CULHWCH

oedd ar y brenin Cilydd fab Celyddon Wledig eisiau gwraig. Ond 'wnai rhywun-rhywun mo'r tro iddo: roedd yn rhaid iddo gael un a oedd mor fonheddig ag ef ei hun. A'r wraig y mynnodd ei chael oedd Goleuddydd ferch Anlawdd Wledig.

Ar ôl iddo'i phriodi dyma bawb o'i wlad yn mynd i weddïo ar Dduw am iddi hi gael etifedd. Ac, yn wir, ar ôl y gweddïo fe gafodd hi fab. Ond o'r amser yr aeth hi'n feichiog dyma Goleuddydd yn mynd o'i chof ac yn gwrthod dod yn agos at unrhyw dŷ. Felly y bu hi nes y daeth hi'n amser i'w babi gael ei eni. Yr adeg honno fe ddaeth hi'n gall unwaith eto. A dyma hi'n dod at fan lle'r oedd yna ddyn-cadw-moch gyda'i genfaint o foch. Wrth weld y moch yma fe ddychrynodd hi gymaint nes iddi roi genedigaeth i'w phlentyn yn y fan a'r lle. Cydiodd dyn-y-moch yn y babi a mynd ag o i lys y brenin Cilydd. A dyma'r mab yn cael ei alw yn Culhwch – am iddo gael ei eni wrth lwybr (sef *cul*) mochyn (sef *hwch*).

Ond er iddo gael ei eni mewn lle mor siabi roedd y mab yma'n fonheddig iawn – roedd yn ddigon bonheddig i fod yn gefnder i'r Brenin Arthur ei hun. Ac yn ôl arfer gwŷr bonheddig yr adeg honno, dyma Culhwch yn cael ei roi i ŵr a gwraig i gael ei fagu. Ar ôl i hynny ddigwydd dyma'i fam yn mynd yn sâl. A'r hyn a wnaeth hi oedd galw ei gŵr, Cilydd, ati a dweud wrtho:

"Fe fydda i farw o'r salwch yma, ac fe fydd arnat tithau eisio priodi rhywun arall. Ond rhai sy'n wên deg ac yn cynnig anrhegion i wŷr ydi merched y dyddiau yma, a hynny er mwyn cael eu priodi nhw. A phaid di â phriodi neb a wnaiff ddrwg i hawliau dy fab. Rydw i am ofyn hyn iti, sef na wnei di ddim mynd i chwilio am wraig nes y gweli di ddraenen â dwy gangen arni'n tyfu ar fy medd i.''

Dyma Cilydd yn addo hyn iddi. Ond yr hyn a wnaeth hi, wedyn, oedd galw offeiriad ati a gofyn iddo chwynnu ei bedd hi bob blwyddyn fel na fyddai yna ddim byd yn tyfu arno. Bu farw'r frenhines.

Yr hyn yr arferai'r brenin ei wneud bob bore am gyfnod go hir ar ôl hyn oedd gyrru gwas i edrych a oedd yna rywbeth yn tyfu ar y bedd. Bob bore deuai'r gwas yn ei ôl a dweud nad oedd yna ddim byd yno. Fel yna y bu hi am saith mlynedd. Ond ymhen saith mlynedd fe nogiodd yr offeiriad a 'wnaeth o ddim chwynnu'r bedd fel yr oedd wedi addo i'r frenhines.

Un diwrnod roedd y brenin yn hela a dyma fo'n ei gwneud hi am y fynwent: roedd am fynnu gweld bedd ei wraig, y bedd a allai roi iddo'r hawl i fynd i chwilio am wraig arall. Ac, yn wir i chi, gwelodd ddraenen yno â dwy gangen

arni, a chyn gynted ag y gwelodd hi dyma fo'n galw pwyllgor i benderfynu ymhle y câi o wraig.

"Mi wn i am wraig dda, un a wnaiff i'r dim iti," meddai un o'r cynghorwyr, "sef gwraig y brenin Doged."

Pasiodd y pwyllgor benderfyniad i fynd i'w nôl hi.

Dyma'r brenin Doged yn cael ergyd farwol a'i wraig yn cael ei dwyn yn ôl i lys Cilydd, a'i hunig ferch i'w chanlyn. Ac fel yna'n union y gorchfygwyd Doged a dwyn ei wraig a'i dir.

CLYWED AM OLWEN

Un diwrnod fe aeth y wraig newydd yma allan am dro a dod i dŷ hen wraig a oedd yn byw yn y dref, un heb yr un dant o gwbl yn ei phen.

"Hei, 'rhen wraig," meddai'r frenhines, "er mwyn Duw, a wnei di ddweud hyn wrthyf fi: ple mae plant y dyn yma ddaru fy nghipio i trwy rym?"

"'Does ganddo fo ddim plant," atebodd yr hen wrach.

"O gwae fi! Be wna i!" meddai'r frenhines. "Rydw i wedi dod at ddyn na fedr o ddim cael plant!"

Atebodd yr hen wrach, "'Does dim rhaid iti nadu fel'na: mae yna broffwydoliaeth y caiff o etifedd. Os na allith o gael etifedd gan wraig arall, gen ti y caiff yr etifedd hwnnw..."

Wrth weld y frenhines mor drist dyma hi'n ychwanegu, "Rŵan, rŵan; paid ti â bod yn ddigalon: er nad oes ganddo *blant,* y mae ganddo fo *un mab.*"

Ar ôl clywed hyn mi gododd y frenhines ei chalon ac aeth adref yn llawen. A dyma hi'n dweud wrth ei gŵr,

"Be ydi ystyr hyn, sef cuddio dy fab oddi wrthyf fi?"

"A, wel!" meddai'r brenin, "'chuddia i mohono fo bellach."

Anfonwyd negeswyr i chwilio am Gulhwch, ac fe ddaeth yntau i'r llys.

"Cael gwraig, dyna fyddai'n beth da iti, llanc," meddai ei lysfam wrtho, "ac, fel y mae hi'n digwydd, mae gen i ferch, un sy'n ddigon da i unrhyw ŵr bonheddig yn y byd. Dyma hi iti."

Edrychodd Culhwch ar y ferch ac yna dyma fo'n dweud,

"Ie...wel yntê...ym... diolch am y cynnig caredig, ond... ym... 'dydw i ddim yn ddigon hen i fynd i chwilio am wraig ar hyn o bryd."

Wedi clywed hyn dyma'r frenhines yn cael y gwyllt,

"Yr hen genau bach anniolchgar," meddai hi, "rydw i'n tyngu llw na chei di ddim gwraig o gwbwl 'te nes y cei di Olwen, merch y Pencawr Ysbaddaden."

Dyma Culhwch yn cochi a chariad at Olwen yn llenwi pob modfedd a mymryn o'i gorff – er nad oedd o erioed wedi ei gweld hi!

"Hei, mab, pam rwyt ti'n cochi," gofynnodd ei dad iddo, "wyt ti'n teimlo'n sâl?"

"Mae fy llysfam wedi tyngu na cha i ddim priodi nes y ca i Olwen, merch Ysbaddaden y Pencawr, yn wraig imi," meddai Culhwch.

"Mae'n ddigon hawdd iti gael hynny," meddai ei dad wrtho, "on'd ydi'r Brenin Arthur yn gefnder iti! Dos dithau at Arthur a gofyn iddo fo dorri dy wallt ti – mi fydd hynny'n arwydd dy fod ti'n ddyn; wedyn gofynna am Olwen yn rhodd ganddo fo."

MYND I LYS ARTHUR

ffwrdd â Chulhwch ar geffyl ifanc, pedair oed efo pen llwyd golau, ceffyl cadarn ei safiad, a'i garnau fel cregin. Ac yr oedd ffrwyn o aur yn ei geg. O dan Culhwch yr oedd cyfrwy o aur gwerthfawr ac yr oedd ganddo ddwy waywffon arian finiog yn un llaw, a bwyell ryfel yn y llall a'i hyd hi o'i bôn hyd at ei phen miniog yn gymaint ag o flaen bys gŵr go nobl hyd at ei benelin.
Fe fuasai hon yn tynnu gwaed o'r gwynt, ac yn syrthio'n gynt na'r defnyn cyntaf o wlith oddi ar welltyn ym mis Mehefin pan mae'r gwlith ar ei drymaf! Roedd

ganddo gleddyf â dwrn aur arno ar ei glun, un â'i lafn i gyd o aur ac yr oedd ganddo darian ac addurniadau aur drosti i gyd, un mor ddisglair â mellten, a chanol ifori iddi hi. Ac o'i flaen yr oedd dau filgi bronwyn, brych, a choleri o aur coch am wddf pob un, yn ymestyn o ben ei ysgwydd hyd at ei glustiau. Un funud roedd un o'r cŵn ar ochr chwith Culhwch, y funud nesaf yr oedd ar ei ochr dde. Yna'r oedd y llall ar ochr dde Culhwch un funud, a'r funud nesaf ar ei chwith: roedden nhw fel gwenoliaid y môr yn gwibio o'i gwmpas. Codai pedair tywarchen o garnau'r ceffyl fel yr oedd yn symud yn ei flaen ac yr oedd y tywyrch hyn hefyd fel gwenoliaid o gwmpas pen Culhwch, weithiau'n codi'n uwch na'i ben, weithiau'n is. Gwisgai Culhwch fantell borffor amdano a phedair congl iddi, ac afal o aur coch ar bob congl: – ac yr oedd pob afal yn werth cant o wartheg! Roedd ei esgidiau a'i strodur, o ben ei glun hyd fawd ei droed, yn werth tri chant o wartheg! 'Doedd blaen yr un blewyn arno'n symud o gwbl gan fod trotian ei geffyl o dano mor ysgafn fel yr oedd yn mynd yn ei flaen at borth llys y Brenin Arthur.

Wedi cyrraedd yno dywedodd Culhwch, "Oes yna borthor yma?"

"Oes," oedd yr ateb. "A thithau, gobeithio na fydd dy ben di gen ti'n hir am dy fod ti'n gofyn! Y fi ydi porthor Arthur bob dydd Calan Ionawr, – fy ngweision i sy'n cadw'r drws yma bob dydd o'r flwyddyn ar wahân i hynny, sef

Huandaw

a Gogigwr

a Llaesgemyn

a Phenpingion – sy'n symud ar ei ben i arbed ei draed: 'dydi o ddim yn mynd trwy'r awyr a ddim yn mynd gyda'r llawr; mae o fel carreg yn rowlio ar lawr y lys."

"Agor y porth."

"Na wna."

"Pam nad agori di?"

"Maen' nhw wedi dechrau bwyta – mae'r gyllell yn y cig yn barod a'r ddiod yn y cyrn yfed, ac y mae yna dyrfaoedd yn mynd a dod yn neuadd y Brenin Arthur. 'Chaiff neb fynd i mewn rŵan ond mab i frenin go-iawn, neu grefftwr sy'n dod â'i grefft. Mi gei di fwyd i dy gŵn ac ŷd i dy geffyl, ac mi gei dithau ddarnau poeth o gig efo pupur arnyn nhw, a gwin sy'n llifo drosodd, ac mi gei di glywed caneuon. Mi gei di ddigon o fwyd i hanner cant – cyn belled â dy fod ti'n ei fwyta fo yn y lle bwyta y tu allan i'r llys. Yn fan'no y mae pobol o bell, a gwŷr o wledydd diarth yn bwyta, sef y rheini nad oes ganddyn nhw ddim crefft ar gyfer llys Arthur. A 'fydd hi ddim gwaeth arnat ti yn fan'no nag ydi hi ar Arthur y tu mewn yn ei lys. Mi gei di wraig i gadw cwmni iti, ac mi gei di glywed canu difyr. Yfory, am dri o'r gloch – pan agorir y porth i'r bobol a ddaeth yma heddiw – rydw i'n addo mai i ti yr agorir y porth yma gyntaf un. Ac mi gei di eistedd ble bynnag y mynnot ti yn neuadd Arthur – yn unrhyw le o'i thop hi i'w gwaelod hi."

"'Dydi hyn'na'n dda i ddim i mi," meddai Culhwch. "Os agori di'r porth yma, popeth yn iawn: ond os na wnei di, mi a' i o gwmpas yn lladd ar dy frenin di ac yn dy alw dithau'n bopeth gwaeth na'i gilydd. Ac mi ro i dair bloedd wrth ddrws y porth yma nes y byddan nhw i'w clywed

  ym mhen Pengwaedd yng Nghernyw,
  yng ngwaelod Dinsol yn y Gogledd,
  ac yn Esgair Oerfel yn Iwerddon.

Ac fe fydd y bloeddiadau yma mor uchel nes dychryn gwragedd y llys fel na fedran nhw byth gael plant."

Atebodd y porthor, sef Glewlwyd Gafaelfawr, "'Waeth gen i faint y bloeddi di ynghylch arferion llys Arthur, 'chei di ddim dod i mewn nes i mi fynd i gael gair efo'r brenin yn gyntaf."

A dyma Glewlwyd yn mynd i mewn i'r neuadd.

"Oes gen ti ryw newydd o'r porth?" gofynnodd Arthur.

"Oes," atebodd Glewlwyd. Yna pesychodd a dechrau arni fel hyn: "Y mae dwy ran o dair o f'oes i wedi mynd heibio, a dwy ran o dair o d'un dithau. Yn ystod fy oes fe fûm i gynt

  yng nghaer Se ac Ase,
  yn Sach a Salach,
  yn Lotor a Ffotor,
  yn yr India Fawr a'r India Fechan.

Mi fûm i gynt

  yn Egrop,
  yn yr Affrig,
  ac yn Ynysoedd Corsica,
  ac yng Nghaer Brythwch a Brydach a Nerthach. . ."

"Ie ie, ond pa newydd?" holodd Arthur.

"'Dydw i ddim wedi gorffen eto," meddai Glewlwyd, pesychu a mynd yn ei flaen,

"Mi fûm i gynt

  yno pan leddaist ti filwyr Gleis fab Merin,
  yno pan leddaist ti Mil Du fab Dugum,
  yno pan orchfygaist ti wlad Groeg draw i'r dwyrain.

Mi fûm i gynt

  yng Nghaer Oeth ac Anoeth,
  ac yng Nghaer Nefenhyr Naw Dant.

Ond er imi fod yn yr holl lefydd hyn ac er imi weld dynion hardd a brenhinol yno, 'welais i erioed lanc mor hardd â hwn sydd wrth y porth yma rŵan."

A dywedodd Arthur, "Wel, wir, os cerdded wnest ti i mewn, dos allan ar redeg. 'Dydw i ddim am golli cyfle i weld y llanc yma. Rhaid i rai o'r gweision dywallt diod o'r cyrn aur, a rhaid i eraill ohonyn nhw ddod â darnau poeth o gig efo pupur arnyn nhw nes bod yna ddigon o fwyd a diod i'r dyn nodedig yma.

Drwg o beth ydi gadael rhywun mor ardderchog â hwn allan yn y gwynt a'r glaw.''

Ond dyma un o farchogion Arthur, sef Cai, yn rhoi ei big i mewn, ''Myn brain i, petaet ti'n gwrando arna i 'fyddet ti ddim yn newid trefn y llys er mwyn y llanc hyn.''

''Na wir, 'dwyt ti ddim yn iawn, Cai Wyn,'' meddai Arthur. ''Mae enw da'r llys yn dibynnu ar bobol sydd eisio dod yma atom ni. A pho fwyaf o anrhegion a rown ni, mwyaf fydd ein henw da ni a'n clod ni a'n henwogrwydd ni. Felly, y peth iawn i'w wneud ydi gadael i'r llanc yma ddod i mewn.''

Daeth Glewlwyd i'r porth a'i agor i Gulhwch. Roedd hi'n arfer gan bawb ddod oddi ar ei geffyl wrth y porth, ond 'wnaeth Culhwch mo hyn, dim ond mynd i mewn i'r llys ar gefn ei geffyl! Wedyn dyma fo'n dweud:

''Henffych well, brif frenin yr ynys yma. Boed iddi fod cystal ym mhen isa'r tŷ yma ac yn ei ben uchaf o. Ac rydw i'n cyfarch gwell i:

dy wŷr mawr di,

a dy filwyr di,

a dy gadfridogion di,

yn ogystal ag i ti —

'dydw i ddim am adael neb allan.

Fel yr ydw i wedi dy gyfarch di'n llawn, felly'r ydw i am i dy fendith di, a dy enw da di, a d'enwogrwydd di fod yn llawn dros yr holl ynys yma.''

''Henffych well i tithau,'' meddai Arthur. ''Eistedda yma rhwng dau o'r milwyr, ac mi gei di glywed canu diddan a chael dy drin fel mab brenin 'waeth pa mor hir y byddi di yma. A phan fydda i'n rhannu anrhegion i rai sydd wedi cael eu gwâdd yma ac i bobol o bell mi ddechreua i efo ti.''

'''Ddois i ddim yma i grafu am fwyd a diod,'' meddai Culhwch. ''Ond os ca i f'anrheg mi fydda i'n deilwng ohono fo ac fe gana i ei glodydd o. Ac os na cha i mohono fo, yna mi ddyga i warth arnat ti i bob cornel o'r byd.''

Dywedodd Arthur, ''Er nad wyt ti'n byw yma, fy machgen gwyn i, mi gei di'r anrheg a nodi di

hyd tra bydd gwynt yn sychu,

hyd tra bydd glaw yn gwlychu,

hyd y rhed yr haul,

hyd y mae'r môr yn ymestyn,

hyd y mae'r ddaear yn cyrraedd.

Mi gei di unrhyw beth, fel y dwedais i, unrhyw beth ar wahân i'r rhain:

fy llong i,

fy mantell i,

Caledfwlch, fy nghleddyf i,

Rhongomyniad, fy ngwaywffon i,

Wynebgwrthucher fy nharian i,

Carnwenan, fy nghyllell i,

ac. . .ym. . .O ie! Gwenhwyfar fy ngwraig.''

"Wir-ŷr?"

"Fe gei di dy anrheg yn llawen. Rŵan, noda beth bynnag a fynni di," meddai Arthur.

"Rydw i'n nodi: cael trin fy ngwallt."

"Wel, siŵr iawn, mi gei di hynny."

A dyma Arthur yn cymryd crib aur a siswrn efo dolennau arian arno ac yn cribo gwallt Culhwch a'i dorri. Ac yna dyma fo'n gofyn i Gulhwch pwy oedd o,

"Mae 'nghalon i'n cynhesu tuag atat ti. Ac am hynny rydw i'n siŵr ein bod ni'n dau'n perthyn. Rŵan, dywed pwy wyt ti."

"Culhwch fab Cilydd Wledig a Goleuddydd ydw i."

"Taw â dweud!" meddai Arthur. "Rwyt ti'n gefnder imi! Rŵan noda beth fyw fynni di ac fe'i cei di o."

"Wir-ŷr? Er mwyn Duw a dy deyrnas?"

"Fe'i cei di o'n llawen."

"Rydw i'n nodi: cael Olwen ferch Ysbaddaden Bencawr yn wraig i mi, ac rydw i'n gofyn amdani hi yn enw dy filwyr di."

Ac yna dyma Culhwch yn dechrau enwi ac enwi ac enwi milwyr Arthur:

"Cai a Bedwyr a Greidawl a Gwythyr a Greid;
a Gwrhyr Tew-ei-Wartheg ac Isberyr Gwinedd-Cath;
a Dirmyg fab Caw,
a Iustig fab Caw,
ac Edmyg fab Caw,
ac Angawdd fab Caw,
a Gofan fab Caw,
a Chelyn fab Caw,
a Chonyn fab Caw,
a Neb fab Caw.
A Sgilti Sgafndroed.''

(Pan fyddai hwyl cerdded ar hwn wrth fynd ar neges i'w arglwydd 'fyddai o byth yn mynd ar hyd ffordd. Os byddai coed ar gael mi fyddai'n cerdded ar frigau'r rheini; ac ar fynydd, fe fyddai'n cerdded ar flaen y gwellt; ac ar hyd ei oes ni phlygodd yr un gwelltyn o dan ei draed, heb sôn am dorri, gan ei fod mor ysgafn.)

"Drem fab Dremhidydd."

(Gallai hwn weld gwybedyn yn codi yn y bore bach o Gelli Wig yng Nghernyw hyd Ben Blathaon ym mhen draw Sgotland.)

Hanner awr yn ddiweddarach roedd Culhwch yn dal wrthi gyda'i restr:

"Celli a Chuel a Gilla Goes-hydd."

(Gallai Gilla lamu tri chan erw ag un naid; hwn oedd neidiwr gorau Iwerddon.)

"Sol a Gwadn Osol a Gwadn Oddaith."

(Gallai Sol sefyll ar un goes am ddiwrnod cyfan. Petai Gwadn Osol yn sefyll ar ben y mynydd mwyaf yn y byd fe âi hwnnw'n gae gwastad o dan ei draed. Ac am Gwadn Oddaith, roedd y tân gloyw a ddôi o wadnau ei draed wrth iddyn nhw daro'n erbyn rhywbeth caled mor boeth â haearn eirias yn dod o dân yn yr efail: hwn fyddai'n gwneud ffordd i Arthur a'i fyddin.)

Awr yn ddiweddarach roedd rhestr Culhwch yn dal i fynd yn ei blaen:

"A Gwefl fab Gwastad."

(Pan fyddai hwn yn drist fe fyddai'n gollwng ei wefus isaf i lawr hyd at ei fogail, ac yn taflu ei wefus uchaf fel ei bod hi fel helmet am ei ben.)

"Gwrhyr Gwalstawd Ieithoedd."

(Gwyddai hwn bob iaith.)

"Clust fab Clustfeiniad."

(Petai hwn yn cael ei gladdu saith medr yn y ddaear fe allai ddal i glywed morgrugyn bach yn codi oddi ar ei dwmpath yn y bore hanner can milltir i ffwrdd.)

"Medr fab Methredydd."

(Gallai hwn, o Gelli Wig yng Nghernyw, daro dryw bach yn Esgair Oerfel yn Iwerddon yn union drwy ei ddwy goes.)

"Gwion Lygad Cath."

(Gallai hwn daro huchen o groen oddi ar lygad gwybedyn heb beri dim niwed i'r llygad.)

Ar ôl i Gulhwch fynd trwy'r rhestr faith, faith hon o filwyr fe gymerodd anadl mawr a dechrau gofyn am ei rodd eto – yn enw merched bonheddig Ynys Prydain y tro yma:

"Yn enw Gwenhwyfar – prif arglwyddes yr ynys yma,

a Gwenhwyach ei chwaer,

a Gwenwledr,

a Morfudd,

a Gwenlliant,

ac Esyllt."

Ac yn y blaen.

Ar ôl iddo fynd drwy ei ail restr hir dyma Arthur yn dweud, "Wel, fy machgen mawr i, 'chlywais i erioed am ferch o'r enw 'Olwen' nac am ei thad na'i mam hi. Ond mi anfona i negeswyr i chwilio amdani hi, a hynny'n llawen."

O'r noson honno hyd yr un noson flwyddyn yn ddiweddarach bu negeswyr Arthur wrthi'n crwydro'r byd yn chwilio am Olwen.

Yna fe ddechreuodd y negeswyr ddod yn eu holau.

"Henffych, o ardderchocaf frenin," meddai un.

"Henffych i tithau," meddai Arthur, "beth fu dy hanes di?"

"O frenin aruchel," meddai yntau, "fe fûm i ar daith bell, bell. Fe fûm i'n croesi diffeithwch mewn haul crasboeth; fe fûm i mewn storm a thymestl ar fôr mawr mewn cwch bach; fe fûm i mewn coedwigoedd a oedd yn chwibianu gan nadroedd ac yn rhuo gan lewod a chreaduriaid rheibus eraill; fe fûm i mewn corsydd hyd at fy ngheseiliau; mewn rhew ac eira a pheryglon annisgrifiadwy. . ."

"Ardderchog," meddai Arthur, "rwyt ti'n farchog ardderchog, ac mi ddoist ti o hyd i Olwen?"

"Wel. . .y. . .Naddo."

Fel yna'n union y bu hi gyda'r lleill hefyd: 'doedd yr un o'r negeswyr wedi cael hyd i ddim sôn am Olwen.

Pan welodd Culhwch hyn dywedodd, "Mae pawb yma, ond y fi, wedi cael anrheg. Rydw i am fynd odd'yma. Rydw i am grwydro'r wlad a dweud un mor wael wyt ti am roi anrhegion."

A dyma Cai'n dweud, "Nawr te, Culhwch, rwyt ti'n gwneud cam ag Arthur. Tyrd 'da ni i chwilio am Olwen ac aros 'da ni'n chwilio hyd nes y gwnei di gyfadde nad oes mo'r fath eneth i'w chael yn y byd, neu hyd nes y down ni o hyd iddi. Fe arhoswn ni 'da thi drwy'r adeg."

CHWILIO AM OLWEN

r hynny fe gododd Cai. Wedyn dyma Arthur yn galw ar y marchogion hyn: Bedwyr, Cynddilig yr Arweinydd, Gwrhyr Gwalstawd Ieithoedd, Gwalchmai fab Gwyar, a Menw fab Teirgwaedd i fynd gyda Chulhwch.

Dewisodd Arthur Cai am ei fod yn gallu dal ei wynt o dan y dŵr am naw nos a naw niwrnod; a'i fod yn gallu mynd heb gysgu am naw nos a naw niwrnod. Ni allai'r un meddyg wella neb os cai ergyd gan gleddyf Cai. Un o gampau eraill Cai oedd y gallai ei wneud ei hun mor dal â'r goeden uchaf yn y coed pan fynnai. Un arall o'i gampau oedd ei fod yn gallu cadw unrhyw beth yn ei law yn sych, hyd yn oed ar y glaw trymaf un, oherwydd y gwres mawr oedd yn ei gorff. A phan fyddai ei ffrindiau'n teimlo'n oer ofnadwy byddai gwres Cai cystal â thanllwyth o dân iddyn nhw.

Dewisodd Arthur Bedwyr am nad oedd ganddo ddim ofn o gwbl mynd ar unrhyw neges gyda Chai. Nid oedd neb mor hardd â Bedwyr yn yr ynys hon – ar wahân i Arthur a gŵr o'r enw Drych. A hyd yn oed petai o ddim ond yn defnyddio un llaw'r oedd o'n tywallt gwaed ei elynion yn gynt nag unrhyw dri milwr arall. Heblaw hyn, roedd un ergyd gan waywffon Bedwyr yn waeth na naw ergyd gan ei elynion, ac fe allai osgoi ergydion ei elynion yn hawdd.

Dewisodd Arthur Gynddilig am ei fod yn gallu tywys pobl mewn gwlad ddieithr, gwlad nad oedd erioed wedi bod ynddi hi, lawn cystal ag y gallai eu tywys nhw yn ei wlad ei hun.

Dewisodd Arthur Gwrhyr am ei fod yn deall pob iaith yn y byd.

Dewisodd Arthur Gwalchmai am ei fod bob amser yn llwyddo i gael hyd i beth bynnag yr oedd yn chwilio amdano. Fo oedd y milwr troed gorau, a'r gorau un ar gefn ceffyl. Roedd o, hefyd, yn perthyn i Arthur, yn fab i'w chwaer.

Dewisodd Arthur Menw achos pe baen nhw'n dod i wlad Anghristnogol gallai fwrw hud ar y bobl oedd yn byw yno fel na allai neb o'r wlad eu gweld, ac eto fe fydden nhw'n gallu gweld pawb o'u cwmpas yn iawn.

I ffwrdd â nhw. Fe fuon nhw'n teithio nes dod i faes mawr, gwastad ac yno fe welson nhw'r gaer fwyaf yn y byd. Dyma nhw'n cerdded ar hyd y dydd, ond hyn oedd yn rhyfedd: er eu bod yn meddwl eu bod yn agosáu at y gaer 'doedden nhw ddim yn nes ati. Eto i gyd, o'r diwedd, dyma nhw'n cyrraedd y cae lle'r oedd y gaer. A beth a welson nhw yno ond praidd enfawr o ddefaid. Roedd bugail yn cadw golwg ar y defaid ac yr oedd y bugail yma ar ben bryn neu 'orsedd'. Roedd yn gwisgo mantell o grwyn, ac wrth ei law roedd yna anferth o gi blewog, un mwy na cheffyl naw oed. 'Doedd y ci dychrynllyd hwn erioed wedi colli oen bach o'r praidd heb sôn am ddafad fawr. 'Doedd yna erioed fintai o bobl wedi mynd heibio heb iddo frathu rhywun neu wneud niwed i rywun. A phob pren crin neu dwmpath sych oedd ar y maes, fe fyddai'r ci mawr hwn yn ei losgi'n grimp hyd at y pridd trwy anadlu arno.

Dyma Cai'n dweud, "Gwrhyr Gwalstawd Ieithoedd, dos di i gael gair â'r gŵr acw."

"Araf deg, Cai," meddai Gwrhyr, "'addewais i ddim yr awn i unman ond lle byddet tithau'n fodlon mynd! Beth am inni fynd draw gyda'n gilydd?"

"Peidiwch â phoeni am fynd yno," meddai Menw, "mi wna i fwrw hud ar y ci fel na wnaiff o ddim niwed i neb."

Dyma nhw'n dod i'r lle'r oedd y bugail ac yn gofyn, "Ydi pethau'n iawn yma, fugail?"

"Rwy'n gobeithio na fydd hi byth yn well arnoch chi nag yw hi arna i," oedd yr ateb. "Myn Duw, 'does dim a all wneud drwg i mi ond fy ngwraig."

"Pwy biau'r defaid yma'r wyt ti'n eu cadw, a phwy biau'r gaer acw?"

"Mae pawb ym mhob man yn gwybod mai caer Ysbaddaden Bencawr yw hi," oedd yr ateb.

"A phwy wyt tithau?"

"Custennin fab Mynwyedig wyf fi, ac y mae Ysbaddaden Bencawr wedi peri drwg mawr i mi o achos fy ngwraig. A chithau, – pwy ŷch chi?"

"Negeswyr Arthur ydym ni, yn chwilio am Olwen."

"Wel wir, Duw a'ch helpo chi: peidiwch, ar unrhyw gyfrif, â gwneud hyn'na. 'Does neb a ddaeth i chwilio am Olwen wedi mynd o'r lle hyn yn fyw."

Cododd Custennin ar ei draed. Fel yr oedd yn codi fe roddodd Culhwch fodrwy aur iddo. Ceisiodd yntau ei gwisgo hi ond roedd hi'n rhy fach i fynd am unrhyw un o'i fysedd, felly dyma fo'n ei rhoi hi yn ei faneg. Wedyn fe gerddodd adref a rhoi ei faneg i'w wraig. Dyma hithau'n cymryd y fodrwy o'r faneg.

"Ymhle y cest ti'r fodrwy hon?" gofynnodd. "'Smo ti'n dod o hyd i rywbeth gwerthfawr yn fynych."

Dyma Custennin yn dyfeisio stori, "Fe es i i lan y môr i chwilio am fwyd-môr ac fe welais i gorff yn dod 'da'r llanw – 'welais i erioed gorff mor dlws yn fy mywyd. Am un o fysedd y corff yr oedd y fodrwy hon."

"Felly wir!" meddai hithau. "Fe wn i o'r gorau nad yw tlysau gwerthfawr

sydd ar gyrff yn y môr ddim yn cael llonydd am hir iawn. Felly dangosa'r corff hyn yr wyt ti'n sôn amdano fe i mi ar frys.''

''Yn wir iti, fe gei di weld yr un biau'r corff yma mewn dwy funud,'' meddai Custennin.

''Pwy yw e?'' gofynnodd ei wraig.

''Culhwch fab Cilydd Wledig a Goleuddydd,'' atebodd Custennin. ''Mae e' wedi dod i'r lle hyn i chwilio am Olwen.''

Llanwyd calon y wraig gan ddau deimlad croes i'w gilydd. Ar un llaw, roedd hi'n llawen am fod Culhwch – a oedd yn fab i'w chwaer – wedi dod ati; ac ar y llaw arall, roedd hi'n drist iawn gan nad oedd hi erioed wedi gweld neb a oedd yn chwilio am Olwen yn mynd adre'n fyw.

Gyda hyn dyma Culhwch a marchogion Arthur yn cyrraedd porth tŷ Custennin. Clywodd y wraig eu twrw nhw'n cyrraedd a dyma hi'n rhedeg i'w croesawu gyda llawenydd mawr. Wrth ei gweld hi'n dod cydiodd Cai mewn boncyff o bentwr coed a oedd wrth ymyl. Daeth hithau atyn nhw i geisio gafael amdanynt a'u cofleidio. Trawodd Cai'r boncyff rhwng ei dwylo hi a dyma hithau'n ei wasgu nes nad oedd o'n ddim ond strimyn o frigyn cam.

"Cato pawb", meddai Cai, "petaet ti wedi fy ngwasgu i fel'na 'fyddwn i'n dda i ddim i neb. Cariad go eger yw dy gariad di!"

Yna fe aethon nhw i mewn i'r tŷ ac ymolchi. Ymhen tipyn, pan oedd pawb wrthi'n gwneud gwahanol bethau dyma'r wraig yn agor cist a oedd wrth ymyl yr aelwyd. Cododd bachgen gwallt cyrliog melyn ohoni.

"Peth gwael ydi cuddio bachgen fel yma," meddai Gwrhyr. "Mi wn i'n iawn nad am unrhyw ddrwg y mae o wedi ei wneud yr ydych chi'n ei gadw o'r golwg fel hyn."

Dywedodd y wraig, "Dyma fe, yr unig un sydd ar ôl! Mae Ysbaddaden Bencawr wedi lladd tri mab ar hugain i mi, a 'does dim mwy o obaith am y bachgen hyn nag am y gweddill."

"Rhaid iddo fe gadw cwmni 'da fi; 'smo neb yn mynd i'w ladd e' heb iddo fe'n lladd ni'n dau!" meddai Cai.

Wedyn fe aethon nhw i fwyta. A dywedodd y wraig, "Dwedwch wrthyf fi pam 'rŷch chi yma?"

"I chwilio am Olwen," oedd yr ateb.

"Er mwyn Duw, ewch odd'yma gan nad oes neb o'r gaer wedi'ch gweld chi eto," meddai hithau.

"'Awn ni ddim odd'yma nes y gwelwn ni Olwen," meddai'r marchogion. "Ydi hi'n dod i rywle lle y mae modd i ni ei gweld hi?"

"Mae hi'n dod yma bob dydd Sadwrn i olchi ei phen a, wyddoch chi, mae hi'n gadael ei modrwyau i gyd yn y llestr lle y mae hi'n ymolchi. A 'dyw hi na neb arall byth yn dod i'w mo'yn nhw."

"Ddaw hi yma os anfonir amdani?"

"Duw a ŵyr nag wy' i'n mynd i beri dim drwg i neb; 'wna i ddim twyllo neb sy'n ymddiried ynof fi. Os ŷch chi'n mo'yn imi anfon amdani, rhaid ichi roi'ch gair i mi na wnewch chi ddim niwed iddi hi," meddai'r wraig.

"Fe rown ni'n gair," meddent hwythau.

Anfonwyd amdani.

DOD O HYD I OLWEN

c yna fe ddaeth Olwen. Roedd ganddi fantell sidan fflamgoch amdani a thorch o aur coch am ei gwddf a pherlau gwerthfawr a gemau cochion yn honno. Roedd ei gwallt hi'n felynach na blodau'r banadl; roedd ei chroen hi'n wynnach nag ewyn y don, ac yr oedd ei dwylo a'i bysedd hi'n wynnach na blodau ifainc gwynion-y-gors sy'n tyfu mewn graean ym mwrlwm dŵr clir ffynhonnau. Roedd ei llygaid hi'n dlysach na llygaid hebog ifanc. Roedd ei dwyfron hi'n wynnach na bron alarch claerwyn, a'i gruddiau hi'n gochach na rhosyn coch, coch. Fe fyddai pwy bynnag a'i gwelai hi'n syrthio dros ei ben a'i glustiau mewn cariad â hi. A lle bynnag yr âi hi, yn ôl ei throed fe dyfai pedair meillionen *wen* ac, am hynny, fe'i gelwid hi'n Olwen.

Daeth Olwen i dŷ Custennin ac eistedd rhwng Culhwch a braich y fainc. A'r funud y gwelodd Culhwch hi dyma fo'n ei hadnabod hi ac yn dweud wrthi, "Olwen!. . .Olwen rydw i'n dy garu di! Tyrd odd'yma efo fi."

"Fedra i ddim," atebodd Olwen, "rhag ofn i mi a thithau wneud drwg mawr. Mi ofynnodd fy nhad imi roi fy ngair iddo na wnawn i byth ei adael o heb ei ganiatâd. Y rheswm am hyn ydi na all o ddim byw ond tan ddydd fy mhriodas i: y diwrnod hwnnw mi fydd o'n marw. Ond er na fedra i ddod, mi ro i gyngor iti: dos i ofyn i 'nhad amdana i, a beth bynnag wnaiff o ofyn iti ei wneud, rho d'addewid iddo fo y gwnei di hynny ac, yn y diwedd, mi wnei di f'ennill i. Ond os bydd o yn d'amau di o gwbwl, 'chei di mohono i – ac fe fyddi di'n lwcus os doi di o'i gastell yn fyw."

"Mi wna i addo gwneud hyn'na i gyd. Mi wna i unrhyw beth i d'ennill di," meddai Culhwch.

Yna fe gododd Olwen a mynd i'w hystafell cyn cychwyn am gaer ei thad Ysbaddaden. Wedyn fe gododd Culhwch a'r marchogion hefyd a'i dilyn hi o bell i'r gaer honno. Cyn medru mynd i mewn bu'n rhaid iddyn nhw ladd naw porthor oedd yn gwylio wrth naw porth enfawr y gaer, ac fe wnaethon nhw hynny heb i'r un o'r porthorion fedru rhoi bloedd o rybudd eu bod nhw yno. Ond nid dyna ei diwedd hi; bu'n rhaid iddyn nhw ladd naw ci anferthol hefyd a gwneud hynny heb i'r un o'r rheini roi hyd yn oed un wich fach o rybudd. Wedi gwneud hyn dyma nhw'n cerdded yn eu blaenau i neuadd caer y cawr.

YSBADDADEN BENCAWR

"Henffych well Ysbaddaden Bencawr," medden nhw.

"Ac i ble'r ydych chi'n meddwl mynd?" meddai llais dwfn y cawr aruthrol o anferthol o fawr hwnnw.

"Wedi dod i ofyn am Olwen dy ferch di'n wraig i Culhwch fab Cilydd yr ydym ni," oedd ateb y marchogion.

"Felly wir!" meddai Ysbaddaden. "Arhoswch chi – ple mae 'ngweision diffaith a di-ddim i? Rŵan rhowch y ffyrch yna o dan amrannau fy llygaid i a gwthiwch y rheini i fyny er mwyn imi gael gweld tebyg i be ydi'r mab-yng-nghyfraith yma!"

Dyma'r gweision bach yn cydio mewn ffyrch hirion, gymaint â rhwyfau, ac yn eu gosod nhw dan amrannau llygaid Ysbaddaden a gwthio nes bod eu hwynebau nhw'n fflamgoch a'u tafodau nhw'n hongian allan. Yn araf bach agorodd llygaid y cawr.

"Hm!" meddai Ysbaddaden, "dowch yn ôl fory ac mi ro i ateb ichi ynglŷn â'r mater yma."

Cododd y marchogion a chychwyn mynd. Ar hynny dyma Ysbaddaden yn cipio un o dair gwaywffon drom, wenwynig a oedd wrth ei ymyl ac yn ei thaflu hi'n egr at y marchogion. Ond roedd Bedwyr yn ddigon effro i'w dal hi a'i thaflu hi'n ei hôl at y cawr a'i gyrru'n union i badell ei ben-glin.

"Y mab-yng-nghyfraith felltith!" bloeddiodd yntau mewn llais a oedd fel daeargryn. "Mi fydd hi'n ddrwg arna i rŵan pan fydda i'n mynd i lawr allt! Mae'r ergyd yma mor boenus i mi â phigiad pry llwyd. A'r waywffon yna – melltith ar y gof twp a'i gwnaeth hi, a melltith ar ei eingion a'i efail o. Aw! mae hyn yn brifo."

Yn nhŷ Custennin yr arhosodd Culhwch a'r marchogion y noson honno. A'r ail ddydd, yn grand a mawreddog a chyda chribau hardd i ddal eu gwalltiau dyma nhw'n dod i neuadd Ysbaddaden yr ail waith.

"Ysbaddaden Bencawr," medden nhw wrtho, "dyro dy ferch inni ac fe gei di dâl priodas amdani hi. Ac os na roi di hi inni, mi fydd yn rhaid inni dy ladd di."

"Felly wir!" meddai Ysbaddaden. "Ond 'dydi pethau ddim mor syml â hyn'na. Dyna ichi hen neiniau Olwen — mae'r bedair yn fyw; a dyna ichi ei hen deidiau hi — mae'r pedwar ohonyn hwythau'n fyw hefyd: mi fydd yn rhaid imi gael eu cyngor nhw cyn y medra i wneud un dim ynglŷn â'ch cais chi."

"Gwna hynny 'te," meddai'r marchogion. "Mi awn ninnau am damaid o fwyd."

Fel yr oedden nhw'n codi i fynd dyma Ysbaddaden yn gafael yn yr ail waywffon a oedd wrth ei ymyl ac yn ei thaflu hi at y marchogion. Y tro yma fe ddaliodd Menw hi a'i thaflu hi'n ôl at y cawr a'i daro ynghanol ei fron nes bod ei blaen hi allan trwy ei gefn.

"Y mab-yng-nghyfraith felltith!" meddai Ysbaddaden mewn llais fel utgorn. "Mae'r haearn yma wedi 'mrifo i fel pigiad gelen. Melltith ar y ffwrnais lle cafodd y waywffon yma ei phoethi. Mi fydd gen i gaethder yn fy mrest wrth fynd i fyny allt rŵan yn siŵr ichi, heb sôn am boen yn fy mol a diffyg treuliad!"

Aeth y marchogion ymaith i gael bwyd ac i aros y nos yn nhŷ Custennin. Dyma hi'n dod yn drydydd dydd arnyn nhw ac yn drydydd ymweliad â chaer Ysbaddaden a'i neuadd. Wedi cyrraedd yno dyma nhw'n dweud, "Ysbaddaden Bencawr, paid ti â thaflu gwaywffyn atom ni eto. Paid ti ag achosi clwyfau a briwiau i ti dy hun, a gwylia rhag inni orfod dy ladd di."

"Ymhle y mae'r gweision dienaid yma sy gen i?" holodd Ysbaddaden. "Styriwch hi efo'r ffyrch yna — mae f'amrannau i wedi llithro dros ganhwyllau fy llygaid i eto. Rŵan, codwch f'amrannau i fel y medra i weld eto sut beth ydi'r mab-yng-nghyfraith yma."

A dyma'r gweision yn gwthio amrannau Ysbaddaden yn ôl, yn drafferthus iawn, efo'u ffyrch. Ond fel yr oedden nhw wrthi dyma yntau'n gafael yn y drydedd waywffon wenwynig ac yn ei thaflu hi at y marchogion. Culhwch ei hun a'i daliodd hi'r tro yma a'i thaflu hi'n ôl ato. Aeth y waywffon i lygad y cawr nes ei bod hi allan trwy ei wegil.

"Y mab-yng-nghyfraith felltith!" rhuodd Ysbaddaden. "Rwyt ti wedi ei gwneud hi rŵan, llanc. Mae'n siŵr na fydda i ddim yn gweld hanner cystal o hyn ymlaen! Ac y mae'n bur debyg y bydd fy llygaid i'n dyfrio wrth imi fynd allan yn y gwynt. A synnwn i damaid na cha i gur yn fy mhen, a phendro hefyd, bob lleuad newydd. Melltith ar y ffwrnais lle bu'r waywffon yna'n cael ei gwneud. Mae'r boen fel brathiad ci cynddeiriog."

Ar hynny aeth y marchogion oddi yno i gael bwyd ac i aros noson arall yn nhŷ Custennin.

NODI'R TASGAU

diwrnod wedyn dyma nhw'n dod yn ôl i gaer Ysbaddaden a dweud, unwaith eto: "Ysbaddaden Bencawr, paid ti â thaflu gwaywffon atom ni heddiw. Paid ag achosi clwyfau a briwiau i ti dy hun. Paid â mynnu cael poen, neu rywbeth gwaeth na hynny, os na fyddi di'n ofalus! Dyro dy ferch inni."

"Ymhle y mae'r dynionach yma sy'n dweud eu bod nhw wedi dod i geisio fy merch i?" gofynnodd Ysbaddaden.

"Fi sy'n gofyn amdani hi; fi, Culhwch fab Cilydd."

"Tyrd yma lle y gallwn ni weld ein gilydd," meddai'r cawr.

Rhoddwyd cadair i Gulhwch ar y bwrdd o flaen Ysbaddaden fel ei fod yn eistedd wyneb yn wyneb ag o.

"A chdi ydi'r pry sy'n gofyn am fy merch i?"

"Fi ydi'r gŵr ifanc sy mewn cariad ag Olwen."

"Wel wel, felly wir! Rŵan, cyn inni fynd dim pellach, rhaid iti addo i mi y gwnei di bopeth yn iawn," meddai Ysbaddaden.

"Rydw i'n addo," meddai Culhwch.

"O'r gorau; mi gei di fy merch i pan ddoi di yma i roi i mi'r pethau'r ydw i am eu nodi rŵan."

"Noda di beth bynnag 'fynnot ti, dad," meddai Culhwch.

"Dad! Dad! Pwy wyt ti'n alw'n 'dad' y trychfilyn bach tila?"

"Ti, ynte; pwy arall? Rydw i'n bwriadu priodi dy ferch di," atebodd Culhwch. "Ond ymlaen â ni, noda'r pethau y mae'n rhaid i mi eu cael nhw iti."

"Nodaf," meddai Ysbaddaden. "A weli di'r llwyn mawr draw yn fan'cw?"

"Gwelaf," meddai Culhwch.

"Rhaid codi'r llwyn yna o'i wraidd a'i losgi hyd wyneb y ddaear nes bod ei lwch du a'i ludw yn wrtaith i'r tir. Wedyn y mae eisio aredig y tir yna a hau had ynddo fo. Ac y mae'n rhaid i'r cynhaeaf o'r tir fod yn aeddfed erbyn y bore pan fydd hi'n amser i'r gwlith godi. O'r cynhaeaf yna rydw i am iti wneud bwyd a diod i'r bobol gaiff eu gwâdd i dy briodas di ac Olwen. A chofia hyn: rhaid i'r cwbwl gael ei wneud o fewn un dydd!"

"Hyn'na bach!" meddai Culhwch. "Hawdd; mi wna i hyn'na'n hawdd, er nad wyt ti ddim yn meddwl y bydd o'n hawdd."

"Felly wir!" meddai Ysbaddaden. "Ond petaet ti'n digwydd llwyddo i wneud hyn'na mi wn i am rywbeth na elli di mo'i wneud. . ."

A dyma'r hen frawd yn dechrau ar restr hir o bethau anodd ddychrynllyd i gael gafael arnyn nhw i helpu i aredig y tir. Nododd fod yn rhaid cael Amaethon fab Dôn a Gofannon fab Dôn i aredig, a'r ychen yma a'r ychen acw i dynnu'r aradr. Ond yr un oedd ateb Culhwch bob tro.

"Hyn'na bach! Hawdd; mae hyn'na'n hawdd. Nesa."

Wedyn dyma Ysbaddaden yn dechrau mynd trwy restr o bethau'r oedd yn rhaid eu cael at y wledd briodas, pethau ynglŷn â bwyd a diod –

Mêl naw gwaith melysach nag unrhyw fêl i wneud diod;

Cwpan Llwyr fab Llwyrion, yr unig lestr a allai ddal y ddiod felys yma;

Corn Gwlgawd Gododdin i dywallt y ddiod o'r cwpan;

Basged fwyd Gwyddno Garanhir a allai roi bwyd i bawb yn y byd yn ôl eu dewis.

"Hawdd. Nesa," meddai Culhwch, oblegid roedd o'n dechrau blino ateb mewn brawddegau.

"Felly wir, hawdd ie!" ysgyrnygodd Ysbaddaden. "Ond beth am Bair Diwrnach Wyddel gwas Odgar brenin Iwerddon – beth am gael honno i ferwi bwyd i'r gwesteion yn dy briodas di?"

"Hawdd. Nesa," meddai Culhwch gan edrych ar ei ewinedd.

Aeth Ysbaddaden yn ei flaen i sôn am bethau i ddiddanu pobl yn y wledd briodas:

Telyn Teirtu a fyddai'n canu ohoni ei hun ac yn tewi ond ichwi ddweud wrthi;

Adar Rhiannon a fyddai'n canu'n hynod o swynol ac a fedrai wneud i'r byw fynd i gwsg mawr marwolaeth, ac a fedrai wneud i'r marw ddeffro.

"Hawdd. Nesa," meddai Culhwch gan edrych i fyny at y to.

"A weli di'r tir coch acw sydd wedi ei geibio?" gofynnodd Ysbaddaden.

"Gwelaf," atebodd Culhwch gan edrych allan.

"Pan gyfarfûm i gyntaf â mam Olwen fe heuwyd llond naw llestr o had llin yn y tir yna ond 'thyfodd dim ohono fo. Mae'r llestri oedd yn dal yr had gen i o hyd. Yr hyn rydw i am ei weld yn digwydd ydi hyn: hel yr had llin yna, ei roi o yn y llestri yma, a'i hau o unwaith eto mewn tir newydd. Wedi iddo fo dyfu rydw i am i'r llin gael ei hel i wneud penlliain gwyn i Olwen ei wisgo yn ei phriodas."

"Hawdd. Nesa," meddai Culhwch.

Roedd pen Ysbaddaden yn un hwdwch du o flew caled, rhwng ei wallt cras a'i farf fras, bigog.

"Nesa i tithau'r pwtyn bach!" meddai Ysbaddaden. "Mi gawn ni weld faint o 'Hawdd nesa' a gawn ni gen ti pan ddyweda i wrthyt ti y bydda i eisio torri fy ngwallt ac eillio fy marf at dy briodas di."

Syllodd Culhwch i fyny ac i fyny mewn syndod ar y das ddu oedd fel petai'n ffrwydro allan; sef pen blewog Ysbaddaden. Llyncodd ei boer yma.

"Weli di'r gwallt yma, llanc; weli di'r farf yma? Nid ar chwarae bach y gall neb drin y fforest yma o wallt nac eillio'r gwrych yma o farf."

Bu ond y dim i Gulhwch gytuno, ond sadiodd eto a dweud mor ddidaro ag y gallai, "Hawdd. Nesa."

"Mae eisio mwy o bethau nag y medri di eu dychmygu i drin fy ngwallt i ac eillio fy marf i, llanc. Rŵan gwranda: rhaid i mi gael ysgithr neu gil-ddant Ysgithrwyn y Pen Baedd er mwyn ceisio eillio. . ."

"Ha. . ." Roedd Culhwch ar fin rhoi ei ateb arferol.

"Gan bwyll, mab," meddai Ysbaddaden gan ei batio ar ei ben, "'fedra i byth eillio â'r ysgithr yna os na thynnir o o ben y baedd, ac yntau'n fyw! A 'dydi Ysgithrwyn ddim yn un o'r creaduriaid clenia; 'wnaiff o ddim cynnig ei ddannedd iti'n dawel!"

"Hawdd. Nesa."

"Nid yn unig hynny," aeth Ysbaddaden yn ei flaen, "ond 'does yna ond un dyn yn y byd yma i gyd a all dynnu'r ysgithr yna o ben y baedd, a hwnnw ydi Odgar fab Aedd, brenin Iwerddon."

"Hawdd. Nesa."

"'Dydw i ddim wedi dweud fy nweud eto, o fab-yng-nghyfraith hoff," meddai Ysbaddaden. "Rhaid cael Cadw y Pictiad, o Ogledd pell Prydain, i gadw'r ysgithr yna tan y briodas."

"Hawdd. Nesa."

"Y blew yma," meddai Ysbaddaden gan redeg ei law galed dros ei farf gras, "rhaid eu meddalu nhw cyn y medra i eillio. 'Ellir byth wneud hynny heb gael gwaed y Widdon Orddu."

"Y Widdon Orddu?" gofynnodd Culhwch.

"Y Wrach Ddu-Ddu i ti, merch y Widdon Orwen," esboniodd Ysbaddaden.

"Ymhle y mae hi'n byw?" gofynnodd Culhwch.

"Pennant Gofid, Gwrthdir Uffern," esboniodd Ysbaddaden eto, ac yna ychwanegodd, "a deall di hyn, 'fydd gwaed y Widdon Orddu'n dda i ddim at feddalu fy marf i os na chei di o tra bydd o'n dwym. 'Does yna ddim ond llestri un dyn yn y byd a fedr gadw'r gwaed yna'n boeth, sef ffiolau Gwiddolwyn Gorrach. Mi gadwith y rheini unrhyw beth gwlyb yn boeth o'r adeg y rhoddir o ynddyn nhw yn y dwyrain hyd nes croesi draw i'r gorllewin."

"Hawdd; mae hyn'na'n ddigon hawdd. Y dasg nesa," meddai Culhwch.

"'Hawdd' meddi di rŵan, ond mi fydd hi'n stori wahanol yn y man," meddai Ysbaddaden gan ddangos rhes o ddannedd melyn a du wrth geisio gwenu. "Gad imi fynd yn fy mlaen i sôn am drin fy ngwallt. Efallai na chredi di ddim, ond 'does yna ond un grib a siswrn yn y byd i gyd a fedr drin fy ngwallt i. . ."

"Mi goelia i hynny'n hawdd," meddai Culhwch dan ei wynt.

"Be wyt ti'n ei ddweud y pwdryn?" gofynnodd Ysbaddaden.

"O dim byd mawr," atebodd Culhwch.

"Ymhle'r oeddwn i hefyd?" meddai Ysbaddaden dan grafu ei ben. "O ie, dweud yr oeddwn i nad oes yna ond un grib a siswrn a all drin fy ngwallt i. Ac, erbyn meddwl, mi fuasai'n help cael rasal arall at ysgithr Ysgithrwyn y Pen Baedd ar gyfer eillio. Wyddost ti lle mae'r rhain i gyd i'w cael?. . . Wel mi ddweda i wrthyt ti: rhwng dwy glust y Twrch Trwyth. 'Wnaiff y mochyn creulon hwnnw mo'u rhoi nhw iti'n garedig, a 'chei dithau mohonyn nhw yn erbyn ei ewyllys o, mae hynny'n eithaf siŵr."

"Hawdd. Nesa."

"Hanner eiliad, blodyn, dim ond dechrau sôn am y Twrch Trwyth yr ydw i! Rhaid dod o hyd i'r hen frawd annwyl hwnnw i ddechrau, ac wedyn rhaid ei hela fo: a 'dydi ei hela fo ddim yn mynd i fod fel hel blodau chwaith. Mae ei hela fo'n mynd i fod yn anodd anodd. . ."

"Hawdd!"

"Anodd!"

"Hawdd!"

"Anodd; anhygoel o ofnadwy o felltigedig o anodd! Gwranda pwt: 'all rhywun-rhywun ddim gwneud y gwaith, rhaid cael y cŵn gorau, y ceffylau gorau, a'r helwyr gorau yn y byd i hela'r Twrch. Mi ddechreuwn ni efo un o'r cŵn. Y ci cyntaf y bydd yn rhaid cael gafael arno i hela'r Twrch ydi Drudwyn, ci Greid fab Eri".

"Hawdd! Mi fydd hi'n ddigon hawdd inni gael gafael ar Drudwyn," meddai Culhwch.

"A! Araf deg rŵan, cyw," meddai Ysbaddaden gan ddal bys blaen ei law dde i fyny a'i ysgwyd o flaen trwyn Culhwch. "'Does yna ddim ond un tennyn yn y byd i gyd a all ddal y ci cryf yma sef:

Tennyn Cwrs Cant Ewin."

"Hawdd!"

"A! Ond 'does yna ddim ond un dorch – coler i ti – yn y byd i gyd a all ddal y tennyn sef:

Torch Canastyr Canllaw. . ."

"Hawdd!"

". . .A – os ca i fynd yn fy mlaen heb i ti dorri ar fy nhraws i bob yn ail eiliad – 'does yna ddim ond un gadwyn yn y byd i gyd a all ddal y tennyn a'r dorch efo'i gilydd a honno ydi:

Cadwyn Cilydd Canhastyr."

"Hawdd! Mi gawn ni afael ar y cwbwl o'r rheina'n hawdd," meddai Culhwch.

"Esgusoda fi, llanc," meddai Ysbaddaden, "'dydw i ddim wedi gorffen sôn am Drudwyn eto. 'Does yna neb a all drin y ci cyhyrog, cryf yma i hela efo fo ond:

Mabon fab Modron."

"'Chlywais i erioed sôn am hwnnw," meddai Culhwch.

"'Dydw i'n synnu dim at hynny," meddai Ysbaddaden. "Fe gipiwyd Mabon oddi ar ei fam pan oedd o'n fabi bach bach – ar y drydedd noson ar ôl iddo fo gael ei eni. 'Does yna neb bron yn gwybod ymhle y mae o, a 'wyr neb a ydi o'n fyw ai peidio."

"Hawdd, mi gawn ni hyd iddo," meddai Culhwch.

"Hawdd iawn wir!" meddai Ysbaddaden. "Ond rhag imi wneud pethau'n rhy hawdd iti, dyma iti rywbeth bach arall i'w gadw mewn cof; rhaid cael ceffyl tra arbennig i Fabon, sef:

Gwyn Myngdwn, ceffyl Gweddw.

Mae hwn yn geffyl gwyn efo mwng tywyll ac y mae o'n rhedeg mor gyflym â thonnau'r môr. Rhaid i Fabon gael y ceffyl yma i hela'r Twrch."

"Hawdd, mi fydd hyn'na hefyd yn hawdd," meddai Culhwch gan agor ei geg am ei fod o'n dechrau blino braidd ar y rhestr ddiddiwedd yma o dasgau anodd yr oedd Ysbaddaden yn mynnu mynd drwyddi.

"O ie, mi fu bron imi anghofio – mae'n ddrwg gen i blodyn," meddai Ysbaddaden, "mi fydd yn rhaid cael:

Eidoel fab Aer

i chwilio am Fabon. Mae Eidoel yn gefnder iddo: rhaid ei gael o efo chi i chwilio."

"Hawdd. . .," dechreuodd Culhwch.

"Heb orffen, gyfaill; 'dydw i heb orffen efo'r cŵn eto," torrodd Ysbaddaden ar ei draws. "Rhaid cael y rhain hefyd, sef:
Dau Gi Glythfyr Lydewig, a gŵr o'r enw Gwrgi Seferi i'w trin,
a Dau Genau Gast Rhymni.

A rhag ofn imi wneud pethau'n anodd iti, del, fe gei di ddefnyddio'r cŵn yma i hela Ysgithrwyn y Pen Baedd neu i hela'r Twrch Trwyth – dyna iti garedig ynte!"

'Ddywedodd Culhwch ddim am funud, ond yna meddai, "Dyna'r cwbwl? Dim ychwaneg o gŵn?"

"Mi fydd hyn'na'n fwy na digon i ti'r corgi cegog," rhuodd Ysbaddaden mewn pwl o wylltio. Ar ôl corddi geiriau am ychydig aeth yn ei flaen yn dawelach, "Ond os wyt ti mor ffyddiog y cei di afael ar y cŵn yma, mi wna i bethau dipyn bach yn fwy anodd iti, â chroeso. Dim ond
Blew o farf Dillus Farfog
fydd yn ddigon cryf i ddal Dau Genau Gast Rhymni wrth hela'r Twrch Trwyth. A 'fydd y blew hynny'n dda i ddim os na thynnir nhw efo gefail bren, a gwneud hynny – a dal di sylw ar hyn, fy ngwas mawr i – tra bydd Dillus yn fyw! 'Fydd yr hen gyfaill hwnnw ddim yn rhy barod i roi ei farf ichi, coelia di fi!"

"Hawdd, hawdd, hawdd," ochneidiodd Culhwch. "Be nesa?"

"Dim ond un heliwr yn y byd 'all ddal Dau Genau Gast Rhymni, sef:
Cyledyr Wyllt fab Hetwn.
Mae hwnnw'n greadur gwylltach nag unrhyw anifail ar unrhyw fynydd. 'Chei di byth mohono fo, a 'chei di mo fy merch innau chwaith."

"Wyt ti wedi darfod rŵan? Mae gen i eisio bwyd," meddai Culhwch.

Yn lle rhoi taw ar Ysbaddaden fe roddodd geiriau Culhwch hwb iddo fynd yn ei flaen. "'Fedri di ddim mynd ar ôl y Twrch Trwyth chwaith heb yr helwyr yma:
Gwilennin brenin Ffrainc,
Mab Alun Dyfed – un da am ollwng ci,
Aned ac Aethlem,
a Gwyn ap Nudd."

"Gwyn ap Nudd?" holodd Culhwch.

"Gwyn ap Nudd," meddai Ysbaddaden yn bendant. "Mi wyddost am hwnnw? Mi roddodd Duw ysbryd diafoliaid Annwn – sef y Byd Arall i ti twpsyn – ynddo fo rhag iddo ddifetha'r byd yma. 'Chaiff o byth ei adael o Annwn. A hyd yn oed os daw o – ac *os* ddywedais i – fe fydd yn rhaid cael ceffyl arbennig iawn, iawn iddo, sef:
Du, march Moro Oerfeddawg."

"Hawdd, fe fydd hi'n ddigon hawdd imi gael hyn'na i gyd," meddai Culhwch. "Oes yna rywbeth arall yr wyt ti ei eisio, dad?"

"Mi ro i 'dad' iti'r brycheuyn dimai!" taranodd Ysbaddaden. "Oes, y mae yna bethau eraill y bydd yn rhaid iti eu cael i hela'r Twrch Trwyth. Rhaid iti gael:

Arthur a'i Helwyr

efo ti. Mae hwnnw'n ŵr a theyrnas ganddo, a 'ddaw o byth efo rhyw sglodyn fel ti. Ac y mae yna reswm da pam na ddaw o ddim: mae o dan fy llaw i; y fi ydi ei feistr o."

"Mi fydd yn hawdd imi gael Arthur a'i helwyr i'm helpu i – mae o'n gefnder imi!" meddai Culhwch. "Unrhyw beth arall?"

Dyma Ysbaddaden yn ffrwydro gan wylltineb ac yn dechrau gweiddi'n wirion resi o enwau.

"Dim Twrch heb:
Bwlch a Chyfwlch a Syfwlch,
eu tarianau,
eu gwaywffyn,
eu cleddyfau,
eu cŵn,
eu ceffylau,
eu gwragedd,
eu merched,
a'u morynion sef, Drwg a Gwaeth a Gwaethaf Oll.

Y rhain ydi pobol fwyaf swynllyd y byd ac mi yrran nhw chi i gyd o'ch cof."

"Araf deg rŵan, eich mawrhydi, 'does dim eisio gwylltio'n nac oes," meddai Culhwch. "Oes yna unrhyw beth arall cyn iti dynnu'r to yma am ein pennau ni efo dy weiddi?"

"Oes, oes!" gwaeddodd Ysbaddaden nes bod y lle'n crynu. "'Ellwch chi ddim lladd y Twrch Trwyth heb gael:

Cleddyf Wrnach Gawr.

Dim ond â'r cleddyf hwnnw y gellir lladd y Twrch." Roedd o'n graddol dawelu rŵan. "Wnaiff Wrnach ddim rhoi ei gleddyf i neb, na'i werthu o, ac fe fydd hi'n gwbwl amhosib ichi ei ladrata oddi arno."

"Hawdd, bydd hyn'na hefyd yn hawdd," meddai Culhwch.

"Rydw i'n meddwl fod hyn'na'n ddigon o dasgau," meddai Ysbaddaden. "'Wna i ddim bod yn rhy galed arnoch chi'n tê!. . . 'Chei di mo'r pethau hyn. Yr hyn a gei di ydi nosau hir heb gwsg wrth iti chwilio a chwilio, a methu cael y pethau'r ydw i wedi eu nodi. 'Waeth iti heb, 'chei di mohonyn nhw, a chei di mo Olwen fy merch i."

"Meirch, mi ga i feirch ac mi farchoga i trwy'r wlad yn chwilio am yr holl bethau yma," meddai Culhwch, "ac mi wnaiff Arthur Frenin, fy nghefnder, fy helpu i gael pob peth. Ac mi ga i dy ferch di. A'r adeg honno mi fydd hi ar ben arnat ti!"

"Rydw i wedi clywed y stori fach yna lawer gwaith o'r blaen," meddai Ysbaddaden, "lawer gwaith o'r blaen. Rydw i yma o hyd, ac Olwen fy merch efo fi. Ond dos di rŵan, fy ngwas bach i. 'Fydd hi ddim yn rhaid iti gael na bwyd na dîllad i Olwen, fe gei di weld, achos mi fydd y tasgau yma'n llawer rhy anodd iti. Ond dos, os wyt ti'n ddigon o ffŵl i roi cynnig ar eu cael nhw. Dos, ac os cei di nhw, fe gei di fy merch innau, Olwen.''

CYFLAWNI'R TASGAU

CLEDDYF WRNACH GAWR

eth Culhwch a marchogion Arthur a mab Custennin gyda nhw o gaer y Pencawr Ysbaddaden a theithio drwy'r dydd. Ac yn yr hwyr fe welson nhw gaer o gerrig a mortar, y gaer fwyaf o holl geyrydd y byd. A dyma nhw'n gweld Gŵr Du'n dod o'r gaer, gŵr mwy nag unrhyw dri dyn o'r byd yma gyda'i gilydd.

''O ble y doi di?'' meddai'r marchogion wrtho.

"O'r gaer a welwch chi yn fan'na," oedd yr ateb.

"Pwy biau'r gaer?" oedd y cwestiwn nesaf.

"Dynion gwirion iawn ydych chi! 'Does yna neb yn y byd nad ydi o'n gwybod pwy biau'r gaer yma. Wrnach Gawr biau hi."

"Be ydi'r drefn efo gwesteion a theithwyr sy'n dod i'r gaer yma?"

"Duw a'ch helpo! 'Ddaeth yna neb o'r gaer yma'n fyw. A pheth arall, 'does yna neb yn cael mynd i mewn ond crefftwyr," oedd ateb y Gŵr Du.

Aeth y marchogion at borth y gaer. A dyma Gwrhyr Gwalstawd Ieithoedd yn dweud, "Oes yma borthor?"

Yr ateb a ddaeth oedd, "Oes, a gobeithio na fydd dy ben di gen ti'n hir am dy fod ti'n gofyn."

"Agor y porth."

"Na wna."

"Pam nad agori di?"

"Maen' nhw wedi dechrau bwyta; mae'r gyllell yn y cig a'r ddiod yn y cyrn yfed, ac y mae yna dyrfaoedd yn mynd a dod yn neuadd Wrnach. 'Agorir mo'r porth yma i neb ond i grefftwr sy'n dod â'i grefft."

"Borthor," meddai Cai, "y mae 'da fi grefft."

"Pa grefft sydd gen ti?"

"Fi yw'r sgleiniwr cleddyfau gorau yn y byd."

"Mi â' i i ddweud hynny wrth Wrnach gawr ac mi ddo i ag ateb yn ôl iti," meddai'r porthor.

Ac i mewn i'r neuadd ag o. Gofynnodd Wrnach Gawr iddo, "Oes gen ti ryw newydd o'r porth?"

"Oes," meddai yntau. "Mae yna gwmni o farchogion yn nrws y porth ac y maen nhw'n dymuno dod i mewn."

"A ofynnaist ti iddyn nhw a oedd ganddyn nhw grefft?" holodd Wrnach.

"Do, mi ofynnais i; ac mi ddywedodd un ohonyn nhw ei fod yn medru sgleinio cleddyfau."

"Mae gen i ddigon o eisio hwnnw," meddai Wrnach. "Rydw i'n chwilio, ers tro byd, am rywun a fedr lanhau fy nghleddyf, a 'dydw i ddim wedi dod o hyd i neb. Gad i hwnnw ddod i mewn gan fod ganddo fo grefft."

Daeth y porthor yn ei ôl at y porth a'i agor, a daeth Cai i mewn ar ei ben ei hun. Dyma fo'n cyfarch Wrnach Gawr ac yn cael cadair i eistedd arni. Yna fe ddywedodd y cawr, "Rŵan gyfaill, ydi'r hyn a glywais i amdanat ti'n wir; sef dy fod ti'n medru rhoi sglein ar gleddyfau a'u gwneud nhw'n loyw?"

"Fe alla i wneud hynny," atebodd Cai.

Dyma ddod â'r cleddyf iddo. Cymerodd Cai ei galan hogi lasddu, sef y garreg i wneud min ar gleddyfau, o'i gesail.

"Prun fyddai orau 'da thi – carn du ynteu carn gwyn?"

"'Waeth gen i prun, gwna di fel y mynnot ti, fel petai'r cleddyf yna'n gleddyf i ti dy hun," meddai Wrnach.

Aeth Cai ati i lanhau un ochr i lafn y cleddyf ac yna dyma fo'n ei roi yn llaw Wrnach.

"Wyt ti'n bles 'da hyn?" gofynnodd Cai.

"Mi fyddai'n well gen i petai'r cleddyf yma i gyd yn sgleinio fel hyn na dim yn y byd," meddai Wrnach. "Mae'n drueni mawr fod dyn cystal â thi heb gyfaill."

"Araf deg nawr!" meddai Cai. "Mae 'da fi gyfaill – er nad yw e' ddim yn medru'r grefft hon."

"Pwy ydi hwnnw?"

"Gad i'r porthor fynd ma's" meddai Cai, "ac fe ddyweda innau wrthyt ti sut un yw fy mhartner i: fe all e' daflu'r pen pig oddi ar goes ei waywffon a thynnu gwaed o'r gwynt ac yna peri iddo gwympo'n ôl ar y goes!"

Agorwyd y porth a daeth Bedwyr i mewn. Dywedodd Cai, "Mae Bedwyr yn fedrus iawn er nad yw e'n medru'r grefft hon."

Bu tipyn o siarad ymhlith y marchogion a oedd yn dal y tu allan i'r gaer am fod Cai a Bedwyr wedi cael mynd i mewn. Ond wrth i Bedwyr fynd drwy'r porth llwyddodd mab Custennin a rhai eraill, a oedd yn dynn yn ei sodlau, i fynd dros dair wal y gaer ac i mewn iddi. Am iddo lwyddo i wneud hyn dyma'r rhai a oedd gyda mab Custennin yn dweud amdano, "Y gorau un! Hwn ydi'r gorau un!" Ac o hyn allan dyna fu ei enw fo: 'Gorau' fab Custennin. Ar ôl hyn dyma Gorau a'i ddilynwyr yn gwasgaru i wahanol leoedd yn y gaer i ymguddio fel y medren nhw ymosod ar filwyr Wrnach Gawr heb yn wybod i hwnnw.

Wedi i Bedwyr ddod at Cai ac Wrnach fe fu Cai wrthi'n trin y cleddyf eto ac yna dyma fo'n ei roi yn llaw Wrnach fel petai am weld a oedd ei waith yn plesio'r cawr.

"Gwaith da!" meddai Wrnach. "Rydw i'n fodlon iawn."

"Dy wain – lle'r wyt ti'n cadw dy gleddyf – honno sydd wedi ei chancro hi a gwneud iddi rydu," meddai Cai. "Rho'r wain i mi er mwyn imi dynnu'r styllod pren ohoni hi a gwneud rhai newydd yn eu lle nhw."

A dyma fo'n cymryd y wain yn un llaw a'r cleddyf yn y llaw arall ac yn dod uwchben y cawr fel petai o am roi'r cleddyf yn y wain. Ond yn lle hynny dyma fo'n rhoi ergyd i ben Wrnach a'i dorri i ffwrdd yn glir. Wedyn dyma Cai a Bedwyr a'r marchogion eraill yn ysbeilio caer Wrnach Gawr ac yn cymryd faint a fynnen nhw o dlysau a phethau gwerthfawr oddi yno.

Flwyddyn union i'r diwrnod yr oedden nhw wedi gadael llys Arthur fe ddaeth y marchogion yn eu holau yno'n cario cleddyf Wrnach Gawr. Roedden nhw wedi cwblhau un o'r tasgau'r oedd Ysbaddaden wedi ei nodi ac wedi cael yr unig gleddyf yn y byd a allai ladd y Twrch Trwyth.

EIDOEL A MABON

Ar ôl i'r marchogion ddweud eu hanes wrth y Brenin Arthur dyma hwnnw'n dweud, "Rydym ni wedi cael un o'r pethau oedd ar y rhestr anferth a nododd Ysbaddaden. Rŵan, be ddylem ni chwilio amdano fo nesaf?"

"Mi ddylem ni fynd i chwilio am Fabon fab Modron," meddai ei wŷr wrtho.

"Y babi bach hwnnw a ddiflannodd pan nad oedd o'n ddim ond tair nos oed ydi hwnnw yntê?" holodd Arthur.

"Ie," oedd yr ateb, "ond cofia hyn: 'does dim modd dod o hyd i Fabon heb yn gyntaf ddod o hyd i'w gefnder, Eidoel fab Aer – mi ddywedodd Ysbaddaden hynny wrth Gulhwch."

"Mi awn ni i chwilio am Eidoel fab Aer 'te," meddai Arthur.

A dyma fo a milwyr Ynys Prydain yn codi allan i chwilio am Eidoel. Fe fuon nhw'n crwydro nes cyrraedd y wal nesaf allan mewn caer a oedd yn perthyn i ŵr o'r enw Glini. Yno'r oedd Eidoel yn cael ei gadw'n garcharor. Wedi i Arthur a'i farchogion ddod at y gaer dyma Glini'n sefyll ar un o fannau uchel y waliau ac yn gweiddi,

"Arthur, be wyt ti'n ei geisio? Pam na adewi di fi'n llonydd ar y darn craig yma? 'Does yna ddim byd gwerth ei gael yma, a 'dydi o ddim yn lle dymunol o gwbwl. 'Does yna ddim gwenith na dim ceirch yma, dim byd gwerth ei ladrata er dy fod ti'n dod yma i wneud drwg imi."

"Nid i wneud drwg iti na niwed iti y dois i yma, ond i gael gafael ar y carcharor sy gen ti," meddai Arthur.

"Fe ro i'r carcharor yma iti," gwaeddodd Glini, "er nad oeddwn i ddim wedi bwriadu ei roi i neb. Ac mi gei di fy help i hefyd."

Ac fel yna y cafwyd Eidoel fab Aer. Gan fod y cwbl wedi bod mor hawdd 'doedd marchogion Arthur ddim yn meddwl ei bod hi'n werth y drafferth i'w brenin fod gyda nhw ac fe ddywed'son nhw wrtho,

"Arthur, dos di a dy filwyr adre. 'Dydi hi ddim yn iawn i rywun mor bwysig â thi fynd i chwilio am ryw fanion bethau dibwys fel y rhain."

Dywedodd Arthur, "O'r gorau. Rydw i am ichi fynd i chwilio am Fabon rŵan.

Ond gan na ŵyr neb ymhle y mae o, rydw i am ichi fynd i holi hen, hen anifeiliaid, sef anifeiliaid hyna'r byd i edrych a wyddon nhw rywbeth am Fabon.

Gwrhyr Gwalstawd Ieithoedd: mae'n rhaid i ti fynd ar y neges yma am dy fod ti'n medru siarad pob iaith, a hefyd yn medru siarad â rhai o'r adar a'r anifeiliaid.

Eidoel: mae'n rhaid i tithau fynd ar y neges yma i chwilio am dy gefnder. Dos efo fy ngwŷr i.

Cai a Bedwyr: rydw i'n gobeithio y dowch chi o hyd i'r Mabon yma sydd wedi bod ar goll mor hir.

A rŵan, ewch ar y neges yma.''

YR HEN ANIFEILIAID

eth y marchogion i chwilio am un o anifeiliaid hyna'r byd, sef Mwyalch Cilgwri. Wedi dod o hyd iddi dyma Gwrhyr yn dweud wrthi,

"Er mwyn Duw, dywed wrthym ni a wyddost ti unrhyw beth o gwbwl am Fabon fab Modron a gafodd ei gipio, pan oedd o'n dair nos oed, o wely ei fam lle'r oedd o'n gorwedd rhyngddi hi a'r pared?''

Atebodd y Fwylach, "Rydw i'n hen, hen; mor hen fel pan ddois i yma gyntaf roedd yna eingion gof yn 'fan hyn, yn ddarn o haearn mawr, trwm. Yr adeg honno aderyn ifanc oeddwn i. 'Wnaeth neb erioed ddim gwaith ar yr eingion yna: yr unig beth a ddigwyddodd arni hi oedd fy mod i'n sychu fy mhig arni hi bob nos ers yr adeg pell pell yn ôl yna. A heddiw 'does yna ddim cymaint â chneuen o haearn ar ôl o'r eingion drom yna. Yn yr holl amser maith, maith a gymerodd hi i'r eingion dreulio'n fach fel 'ma, 'chlywais i ddim sôn am Fabon, y gŵr yr ydych chi'n holi amdano fo.

Ond y mae yna un peth sy'n iawn imi ei wneud efo chi – yn wir, mae hi'n ddyled arna i gan eich bod chi'n negeswyr i'r Brenin Arthur. Y mae yna fath o anifeiliaid a greodd Duw o 'mlaen i ; mi ddangosa i ichi lle y maen nhw.''

Ac fe aeth y Fwylach â nhw i'r lle'r oedd Carw Rhedynfre.

Dywedodd Gwrhyr, "Garw Rhedynfre rydym ni, sy'n negeswyr i'r Brenin

Arthur, wedi dod yma atat ti am na wyddom ni ddim am unrhyw anifail sy'n hŷn na thi. Dywed, a wyddost ti unrhyw beth o gwbwl am Fabon fab Modron a gafodd ei gipio oddi ar ei fam pan oedd o'n dair nos oed?"

Atebodd y Carw, "Rydw i'n hen, hen; mor hen fel pan ddois i yma gyntaf dim ond un gangen o gorn oedd gen i ar bob ochor i 'mhen, a 'doedd yna ddim coed yma, dim ond un sbrigyn o dderwen. Fe dyfodd y sbrigyn hwnnw'n goeden fawr ac arni gant o ganghennau. Ac yna fe bydrodd gan henaint a syrthio. Heddiw, 'does yna ddim ar ôl ohoni hi ond y stwmpyn coch yma. Rydw i wedi bod yma'r holl amser maith a gymerodd hi i'r dderwen yma dyfu a phydru a syrthio, ond eto 'chlywais i erioed sôn am Fabon, y gŵr yr ydych chi'n holi amdano.

Ond am eich bod chi'n negeswyr i'r Brenin Arthur mi ddangosa i'r ffordd ichi at anifail a greodd Duw o 'mlaen i."

Yna fe ddaeth y marchogion i fan lle'r oedd Tylluan Cwm Cawlwyd. Dywedodd Gwrhyr,

"Dylluan Cwm Cawlwyd, negeswyr Arthur ydym ni. A wyddost ti unrhyw beth o gwbwl am Fabon fab Modron a gafodd ei gipio oddi ar ei fam pan oedd o'n dair nos oed?"

"Petawn i'n gwybod unrhyw beth amdano mi ddwedwn i wrthych chi," meddai'r Dylluan, "Rydw i'n hen, hen; mor hen fel pan ddois i yma gyntaf roedd y cwm mawr yma a welwch chi'n llawn o goed. Ac fe ddaeth cenhedlaeth o ddynion yma a difa'r coed. Yna fe ddaeth ail dyfiant o goed. A'r coed a welwch chi yma rŵan ydi'r trydydd tyfiant. A minnau – wel, edrychwch arna i; erbyn hyn y mae bonion f'adennydd i'n stympiau. Ond ers yr hen, hen amser yna hyd heddiw 'chlywais i ddim sôn am Fabon, y gŵr yr ydych chi'n holi amdano.

Ond am eich bod chi'n negeswyr i'r Brenin Arthur mi ddangosa i'r ffordd ichi i'r lle y mae'r anifail hynaf un sydd yn byd yma, a'r un sydd wedi teithio fwyaf, sef Eryr Gwernabwy."

Yna fe ddaeth y marchogion i'r fan lle'r oedd Eryr Gwernabwy. Dywedodd Gwrhyr:

"Eryr Gwernabwy, negeswyr Arthur ydym ni. Rydym ni yma i ofyn iti a wyddost ti unrhyw beth o gwbwl am Fabon fab Modron a gafodd ei gipio oddi ar ei fam pan oedd o'n dair nos oed."

Atebodd yr Eryr, "Rydw i'n hen, hen, ac mi ddois i yma amser pell, pell yn ôl. A phan ddois i yma gyntaf roedd gen i garreg fawr yn fan'ma, ac o ben y garreg honno roeddwn i'n pigo'r sêr bob nos. Rŵan, 'dydi'r garreg ddim mwy na dwrn. Rydw i wedi bod yma'r holl amser o hynny hyd heddiw, ac eto 'chlywais i ddim sôn am Fabon, y gŵr yr ydych chi'n holi amdano. Ond arhoswch, efallai y dylwn i sôn wrthych chi am y tro hwnnw'r es i at Lyn Llyw i chwilio am fwyd. Pan ddois i yno mi blennais fy nghrafangau mewn clamp o eog anferth gan feddwl y byddai hwnnw'n ddigon o fwyd am amser maith.

Ond, yn wir i chi, fe dynnodd yr eog mawr hwnnw fi o dan y dŵr i'r dyfnder mawr nes mai prin y llwyddais i ddianc. A'r hyn a wnes i a'm holl ffrindiau, wedyn, oedd mynd i ymosod ar yr eog i geisio'i ladd o. Mi yrrodd yntau negeswyr ataf fi i gymodi a dod yn ffrindiau efo fi. A, wyddoch chi, fe dynnais i ddeg picell a deugain o'i gefn. Os na ŵyr yr hen eog yna rywbeth am y dyn yr ydych chi'n chwilio amdano, 'wn i ddim am neb arall sy'n gwybod. Mi ddangosa i'r ffordd ichi at Eog Llyn Llyw."

Yna fe ddaeth y marchogion at yr Eog a dywedodd yr Eryr wrtho, "Eog Llyn Llyw, rydw i wedi dod atat ti efo negeswyr y Brenin Arthur i ofyn iti a wyddost ti unrhyw beth o gwbwl am Fabon fab Modron a gafodd ei gipio oddi ar ei fam pan oedd o'n dair nos oed."

"Mi ddyweda i gymaint ag a wn i," meddai Eog Llyn Llyw. "Gyda phob llanw mi fydda i'n mynd i fyny ar hyd yr afon nes y do i at dro lle y mae waliau Caerloyw. Yn y fan honno mae yna rywbeth drwg ofnadwy, gwaeth nag a welais i erioed yn unlle. Er mwyn ichi gredu'r hyn rydw i'n ei ddweud, rydw i am i un ohonoch chi ddod ar f'ysgwyddau i."

Fe aeth dau ar gefn yr Eog, sef Cai a Gwrhyr Gwalstawd Ieithoedd. Fe aethon nhw drwy'r dŵr nes iddyn nhw gyrraedd at wal a oedd ar dro i fyny'r afon. Yr ochr arall i'r wal honno roedd rhywun yn cael ei gadw'n garcharor yng Nghaerloyw. Ust: roedden nhw'n clywed y truan yn ochneidio ac yn griddfan. Gwaeddodd Gwrhyr, "Pwy sy'n cwyno'r ochor arall i'r wal yma?"

"A! Gwae fi!" meddai llais. "Un y mae ganddo le i gwyno. Mabon fab Modron ydw i, ac rydw i yma mewn carchar. 'Chafodd neb erioed ei garcharu'n galetach na fi mewn unrhyw garchar. 'Fu yna erioed garchar mor ofnadwy â hwn."

Gofynnodd y marchogion, "Oes yna unrhyw obaith dy gael di'n rhydd am aur neu arian, neu trwy dalu, ynteu a fydd yn rhaid inni ymladd a brwydro i dy gael di'n rhydd?"

"Os oes unrhyw obaith fy nghael i o'r lle yma, trwy ymladd y digwyddith hynny."

Wedi clywed hyn dyma'r marchogion yn mynd yn eu holau ar gefn yr Eog ac wedyn yn mynd i'r lle'r oedd y Brenin Arthur. Dyma ddweud wrtho ym mhle'r oedd Mabon fab Modron mewn carchar.

"Rhaid inni fynd i'w ryddhau o," meddai Arthur.

A dyma Arthur a'i filwyr yn mynd gyda'r marchogion at yr afon. Y tro yma Cai a Bedwyr a aeth ar ysgwyddau Eog Llyn Llyw i fynd i fyny at Gaerloyw. Aeth y gweddill yno ar hyd ffordd arall.

Dechreuodd Arthur a'i filwyr ymladd yn erbyn pobl Caerloyw a thra oedd hyn yn digwydd fe dorrodd Cai trwy wal y gaer a chario Mabon oddi yno ar ei gefn gan ddal i ymladd fel yr oedd yn gwneud hynny. Arthur a'i farchogion a enillodd y frwydr. Yna fe ddaethon nhw yn eu holau i'r llys a Mabon gyda nhw yn rhydd.

DAU GENAU GAST RHYMNI

"P'run o'r pethau a nododd Ysbaddaden y dylem ni fynd i chwilio amdano fo nesaf?" gofynnodd Arthur.

"Mi ddylem ni fynd i chwilio am Ddau Genau Gast Rhymni," oedd yr ateb.

"Oes yna rywun yn gwybod ple y mae'r Ast yma?" gofynnodd Arthur.

"Mae hi yn Aber Dau Gleddyf," meddai rhywun.

I ffwrdd ag Arthur a'i wŷr am y lle hwnnw. A dyma nhw'n dod i dŷ gŵr o'r enw Tringad yn aber yr afon Cleddyf. Gofynnodd Arthur i hwn,

"'Glywaist ti ryw sôn y ffordd yma am Ast Rhymni? Neu sôn am ba ffurf neu siâp sydd arni hi rŵan, oblegid y mae hi'n gallu ei newid ei hun o un peth i'r llall?"

"Mae hi ar ffurf bleiddast," atebodd Tringad, "ac y mae ei dau genau hi'n ei dilyn hi o gwmpas i bob man. Mae hi wedi bod yn lladd f'anifeiliaid i droeon. I lawr yn aber yr afon Cleddyf y mae hi'n awr, mewn ogof."

Yr hyn a wnaeth Arthur wedyn oedd mynd yn ei long 'Prydwen' i'r môr a gyrru rhai o'i wŷr ar y tir mawr i hela'r Ast. A chan fod Arthur yn dod i mewn o'r môr, a bod ei wŷr yn dod i lawr tua'r môr o'r tir, fe lwyddason i ddal Gast Rhymni a'i Dau Genau rhyngddyn nhw. A phan oedden nhw o gylch yr Ast ac yn cau amdani hi a'i chenawon dyma Duw'n troi'r Ast a'i Dau Genau'n ôl i'w ffurf eu hunain.

"Dyna ni wedi cael Dau Genau'r Ast yma i hela'r Twrch Trwyth," meddai Arthur.

Ar ôl llwyddo fel hyn dyma farchogion Arthur a'i filwyr yn gwasgaru o'r lle hwnnw ar hyd y wlad, bob yn un a dau, i edrych a allen nhw ddod o hyd i ychwaneg o'r pethau a nododd Ysbaddaden wrth Gulhwch.

GWYTHYR A'R MORGRUG

Un diwrnod, fel yr oedd Gwythyr fab Greidawl yn cerdded ar ei ben ei hun dros fynydd dyma fo'n clywed rhyw weiddi main a griddfan tenau ond poenus. Roedd clywed y sŵn yn ddigon i dorri calon rhywun. Dechreuodd Gwythyr redeg at y lle'r oedd y sŵn yn dod ohono. A beth oedd yno ond twmpath morgrug a thân yn nesu'n gyflym ato. Y morgrug bach yn y twmpath oedd yn gwneud y sŵn torcalonnus am fod arnyn nhw ofn cael eu llosgi. Fel yr oedd Gwythyr yn cyrraedd y lle dyma fo'n tynnu ei gleddyf ac yn torri'r twmpath yn wastad â'r ddaear ac yn ei godi oddi yno. Trwy wneud hynny fe achubodd y morgrug rhag y tân.

"Bendith Duw arnat ti," meddai'r hen forgrug bach yma wrth Gwythyr. "Rydym ninnau'n dy fendithio di hefyd ac yn diolch yn fawr iti am fod mor garedig. Am dy fod ti wedi gwneud tro da â ni, mi wnawn ninnau dro da â thithau. A chofia, am ein bod ni mor fach mi fedrwn ni wneud pethau na fedr dynion byth eu gwneud nhw. Mi fedrwn ni ddod o hyd i bethau bach bach a'u hel nhw; 'fedr dynion ddim gwneud hyn'na."

Wrth glywed hyn cofiodd Gwythyr am un o'r tasgau'r oedd Ysbaddaden wedi eu gosod ar Gulhwch, sef hel hadau llin o dir lle nad oedden nhw ddim wedi tyfu. Fe gofiodd, hefyd, fod yn rhaid ail hau'r hadau hyn wedyn mewn tir newydd er mwyn iddyn nhw dyfu'n iawn y tro yma, a rhoi llin i wneud penlliain gwyn i Olwen gael ei wisgo yn ei phriodas.

"Wel wir, pwy fuasai'n meddwl y medrai pethau mor bitw fach â chi fy helpu i ynte!" meddai Gwythyr. "Rydych chi'n iawn eich bod chi'n medru gwneud pethau na fedrith dynion mo'u gwneud nhw, ac mi fedrwch chi fy helpu i. 'Welwch chi'r tir diffaith acw?"

"Gwelwn," meddai'r morgrug.

"Wel yn fan'na mae yna lond naw llestr o hadau llin. Flynyddoedd mawr yn ôl fe gafodd yr hadau eu hau yn y tir yna. 'Thyfodd yr un hedyn ohonyn nhw. Os gwn i a fedrwch chi fy helpu i trwy hel yr hadau yna?"

"Medrwn siŵr iawn," meddai'r morgrug.

"Mi a' innau i nôl y llestri i ddal yr hadau," meddai Gwythyr.

"Iawn. Iawn," meddai'r morgrug efo'u lleisiau bach bach. Wedyn i ffwrdd â nhw yn un fflyd ddu brysur brysur, ddi-stop.

Erbyn diwedd y dydd roedd y morgrug wedi hel llond y naw llestr o hadau llin – wel, bron iawn: roedd un llestr yn fyr o bwysau bach un hedyn. Roedd Gwythyr wrth ei fodd – wel, bron iawn. Roedd yn falch o weld cymaint o hadau wedi eu hel, ond yn bryderus am fod yna un hedyn bach yn dal i fod ar goll. Ond fu dim rhaid iddo bryderu'n hir iawn achos beth a welai'n honcian dod ond morgrugyn gyda'r hedyn olaf ar ei gefn. Cyn y nos fe gyrhaeddodd hwn, sef morgrugyn bach cloff, a rhoi'r hedyn olaf un yn y llestr. Ac o'r llin a dyfwyd o'r hadau hyn y cafodd penlliain gwyn ei wneud i Olwen.

BARF DILLUS FARFOG

Aber Dau Gleddyf fe aeth Cai a Bedwyr i grwydro'r wlad gyda'i gilydd.

Un diwrnod roedden nhw'n eistedd ar ben Pumlumon pan gododd y gwynt mwyaf a glywsoch chi erioed. Ond er ei bod hi'n wynt mor ddychrynllyd, wrth edrych o'u cwmpas roedden nhw'n gweld mwg mawr tua'r de, ymhell bell oddi wrthynt. Y peth rhyfedd oedd nad oedd y mwg ddim yn cael ei droelli na'i symud gan y gwynt.

"Myn brain i, disgw'l draw acw – dyna iti dân rhyfelwr," meddai Cai.

Dyma'r ddau farchog yn brysio i gyfeiriad y mwg a dod yn nes ato gan ddal i gadw golwg arno. A phwy oedd yno'n rhostio baedd gwyllt ond Dillus Farfog.

"Dyna iti'r ymladdwr mwyaf sydd wedi llwyddo i osgoi Arthur erioed," meddai Bedwyr wrth Cai. "Wyt ti'n ei 'nabod o?"

"Ydw," atebodd Cai, "Dillus Farfog yw hwn'na. 'Smo ti'n cofio mai dim ond tennyn o'i farf e' all ddal Cenau Greid fab Eri wrth hela'r Twrch Trwyth? A 'fydd y tennyn yn dda i ddim os na allwn ni dynnu'r blew i'w wneud e' o'r farf 'da gefail bren, a hynny tra bydd Dillus yn fyw. Fe fydd y blew'n rhy frau os bydd e' wedi marw."

"Be ydi'r peth gorau inni ei wneud tybed?" gofynnodd Bedwyr.

"Fe adawn ni iddo fe fwyta llond ei fola o'r cig. Ar ôl iddo fe wneud hynny mae fe'n siŵr o syrthio i gysgu," meddai Cai.

Tra oedd Dillus wrthi'n llowcio'r cig fe fu Cai a Bedwyr wrthi'n gwneud gefail bren. Wedyn fu fuon nhw'n aros nes i Ddillus ddechrau chwyrnu dros y lle – arwydd sicr ei fod yn cysgu'n drwm. Dyma Cai ati hi wedyn i gloddio'r pwll mwyaf yn y byd o dan draed Dillus. Yna fe roddodd iddo'r ergyd galetaf a welsoch chwi erioed, ac wedyn rhoi hwb iddo i'r pwll a'i wasgu i mewn iddo. Yna dyma fo'n plycio'i farf i gyd â'r efail bren. Ar ôl hynny dyma fo'n lladd y cawr.

Wedyn teithiodd Cai a Bedwyr i Gelli Wig yng Nghernyw lle'r oedd llys Arthur, a thennyn o farf Dillus Farfog ganddyn nhw. Fe roddodd Cai'r tennyn yn llaw Arthur. A dyma hwnnw'n canu'r englyn hwn:

"Tennyn hir a luniodd Cai
O farf Dillus fab Efrai:
Pe bai'n fyw, dy angau fyddai!"

Wrth glywed yr englyn dyma Cai'n sori'n bwt, sori i'r fath raddau fel mai prin y gallodd milwyr yr ynys ei gadw rhag ymladd ag Arthur. Ac o hynny allan, hyd yn oed pan oedd hi'n wan ar Arthur neu pan oedd ei filwyr yn cael eu lladd, 'roddodd Cai ddim help iddo.

CENAU GREID FAB ERI

c yna fe ddywedodd Arthur, "P'run o'r pethau a nododd Ysbaddaden y dylem ni fynd i chwilio amdano fo rŵan?"

"Fe ddylem ni chwilio am Drudwyn, cenau Greid fab Eri," oedd yr ateb, "achos y mae gennym ni dennyn o farf Dillus Farfog i ddal y ci hwnnw. Wedyn mi fydd o gennym ni'n barod ar gyfer hela'r Twrch Trwyth."

Ni fu llawer o drafferth i gael gafael ar Drudwyn.

"'Fu hyn'na ddim yn dreth ar neb ohonom ni," meddai Arthur. "A rŵan beth am gael gafael ar Gwyn ap Nudd?"

"Iawn," oedd ateb ei farchogion.

HANES GWYN AP NUDD

Roedd yna un stori ryfedd iawn am Gwyn ap Nudd. Ychydig cyn yr amser hwn, cyn i Ysbaddaden nodi bod yn rhaid ei gael i helpu wrth hela'r Twrch Trwyth, roedd Arthur wedi bod yn gweld Gwyn. A dyma'r rheswm pam y digwyddodd hynny.

Roedd yna ferch a oedd yn cael ei chyfrif yn un o wragedd prydfertha'r byd. Ei henw hi oedd Creiddylad ferch Lludd Law Arian. Aeth hi gyda gŵr o'r enw Gwythyr fab Greidawl i fod yn wraig iddo. Ond cyn iddyn nhw gysgu gyda'i gilydd, hyd yn oed am un noson, fe ddaeth Gwyn ap Nudd heibio a'i chipio hi. Galwodd Gwythyr ei filwyr at ei gilydd a mynd i ymladd â Gwyn ap Nudd a'i lu. Gwyn ap Nudd a drechodd ac fe ddaliodd y gwŷr yma'n garcharorion:

Greid fab Eri (y gŵr oedd biau'r ci a elwid yn Drudwyn),
Glinnau fab Taran,
Gwrgwst Ledlwm (neu Gwrgwst Hanner-noeth),
Dyfnarth, mab Gwrgwst,
Pen fab Nethawg,
Nwython,
a Chyledyr Wyllt, mab Nwython.

A dyma Gwyn yn lladd y carcharor o'r enw Nwython ac yna'n tynnu ei galon o'i gorff. Wedyn fe orfododd Cyledyr i fwyta calon ei dad ei hun! A dyna oedd y rheswm pam yr aeth hwnnw yn wyllt ac yn wallgof.

Daeth hyn i glyw Arthur yn ei lys yng Nghelli Wig yng Nghernyw ac aeth i fyny i Ogledd Prydain. Galwodd Gwyn ap Nudd ato a gwneud iddo ollwng ei garcharorion yn rhydd a dyma Arthur yn gwneud heddwch rhwng Gwyn a Gwythyr. Fel hyn y trefnwyd pethau: gadael y ferch, Creiddylad, yn nhŷ ei thad heb i Gwyn na Gwythyr fedru cael gafael arni. Yna dweud fod yn rhaid i Gwyn a Gwythyr ymladd amdani bob dydd Calan Mai o'r amser hwnnw hyd Ddydd y Farn. A'r un ohonyn nhw a fyddai'n ennill ar Ddydd y Farn, hwnnw a gâi gadw Creiddylad.

Gan fod Arthur wedi llwyddo i gymodi a gwneud heddwch rhyngddo fo a Gwythyr roedd Gwyn ap Nudd yn barod i'w helpu. Felly pan ofynnodd Arthur iddo a ddôi i gymryd rhan yn hela'r Twrch Trwyth fe gytunodd i ddod yn syth.

Tua'r adeg yma hefyd y llwyddodd Arthur i ddal Cyledyr Wyllt (y dyn a gafodd ei orfodi i fwyta calon ei dad) yng Ngogledd Prydain. Fo a fyddai'n dal Dau Genau Gast Rhymni wrth hela'r Twrch.

YSGITHRWYN Y PEN BAEDD

Penderfyniad Arthur a'i wŷr wedyn oedd cael gafael ar Ysgithrwyn y Pen Baedd. Er mwyn hela hwnnw fe aethon nhw, yn gyntaf, i chwilio am
    Ddau Gi Glythfyr Lydewig,
a'u cael.
    Wedyn, fe aethon nhw i Iwerddon i chwilio am
Gwrgi Seferi
ac Odgar fab Aedd.

Gwrgi oedd yr un a allai drin Dau Gi Glythfyr Lydewig, ac Odgar oedd yr un a allai dynnu ysgithr neu gil-ddant y baedd o'i ben ar ôl iddo gael ei ddal.

Yna fe aethon nhw drosodd o Iwerddon i Wlad y Pictiaid yng Ngogledd un Prydain i chwilio am
Cadw
y gŵr a allai gadw'r ysgithr yn y ffordd iawn tan ddydd priodas Culhwch ac Olwen. 'Fu hyn i gyd ddim yn drafferth fawr.

Fe gafodd Arthur a'i farchogion y pethau nesaf yma, hefyd, heb lawer o drafferth:

Gwyn Myngdwn, march Gweddw, er mwyn i Fabon allu ei farchogaeth pan fyddai'n hela'r Twrch Trwyth;

Tennyn Cors Cant Ewin ar gyfer dal Drudwyn, cenau Greid fab Eri.

Heblaw'r rhain fe gafwyd nifer o bethau eraill yr oedd Ysbaddaden wedi eu nodi ar gyfer mynd i hela Ysgithrwyn y Pen Baedd a'r Twrch Trwyth.

"Rydym ni'n barod i hela'r baedd cyntaf yma rŵan, sef Ysgithrwyn y Pen Baedd," meddai Arthur.

"Da iawn hynny," meddai ei farchogion a'i wŷr. "Fe fydd hyn yn ymarfer da ar gyfer hela'r ail faedd, y baedd gwaethaf a welwyd erioed, sef y Twrch Trwyth."

I'r helfa â nhw. Ar y blaen yr oedd Dau Gi Glythfyr Lydewig a Drudwyn, cenau Greid fab Eri, a Gwrgi'n eu trin. Dipyn o'i ôl yr oedd Arthur a'i gi Cafall. Cafodd Cadw y Pictiad fenthyg Llamrai, caseg Arthur, a llwyddodd i gael Ysgithrwyn y Pen Baedd i gongl a gorfodi iddo droi a wynebu'r cŵn a'r helwyr. Roedd llygaid y baedd yn llawn o dân casineb a'i ysgithrau – ei gilddannedd hir – fel cyllyll ofnadwy ac yr oedd yr awyr yn llawn o'i rochian ac o gyfarth cyffrous y cŵn a gweiddi'r helwyr. Daeth Cadw ac Odgar ymlaen gyda'i gilydd i wynebu'r baedd mawr. Rhuthrai hwnnw ymlaen a chilio'n ôl wedyn, a'i draed yn corddi'r ddaear yn stremp o bridd a thywyrch a cherrig. Ar un rhuthr llwyddodd Cadw i roi ergyd iddo â gwegil ei fwyell. Syfrdanwyd y baedd a chwympodd ar liniau ei ddwy goes flaen. Yr eiliad honno cydiodd Odgar yn un o'i ysgithrau â gefail haearn ac â phlwc cryf dyma fo'n ei dynnu o'i ben. Roedd gwichian a rhochian a gwaed yn erchyll yn y gongl honno o'r coed.

Rhuthrodd Cadw ymlaen eto ac â thu min ei fwyell fe roddodd ail ergyd i'r baedd nes hollti ei ben yn ddau hanner. Fel yr oedd yn cwympo llamodd Cafall, ci Arthur, ar Ysgithrwyn a gorffen ei ladd.

"O'r gorau, dyna inni hwn'na," meddai Arthur am ysgithr y Pen Baedd. "Siawns na fedr Ysbaddaden, hyd yn oed, eillio ei farf efo'r dant miniog yma."

CHWILIO AM Y TWRCH TRWYTH

Ar ôl i Arthur a'i wŷr ddychwelyd i Gelli Wig yng Nghernyw dyma ddechrau meddwl am y dasg nesaf.

"Gan ein bod ni wedi hel popeth sydd ei angen ar gyfer hela'r Twrch Trwyth, beth am inni fynd ar ôl hwnnw?" meddai Arthur.

"Mi fyddai hynny'n beth da i'w wneud," cydsyniodd pawb.

"Iawn 'te," meddai Arthur. "Menw fab Teirgwaedd, rydw i am iti fynd i chwilio am y Twrch. Ac ar ôl iti ddod o hyd iddo, edrycha a ydi'r grib a'r siswrn a'r rasal y soniodd Ysbaddaden amdanyn nhw rhwng ei ddwy glust. Mi fyddai'n bechod inni fynd i ymladd â'r Twrch a'r tlysau ddim ganddo."

"Mae hyn'na'n gall iawn," meddai'r marchogion.

Cychwynnodd Menw i chwilio am y Twrch Trwyth. 'Doedd o heb fynd am hir iawn pan glywodd sôn fod y Twrch, yn sicr ddigon, yn Iwerddon a'i fod wedi diffeithio a difetha traean o'r wlad.

Aeth Menw yno i chwilio amdano. Fe ddaeth o hyd iddo mewn lle o'r enw Esgair Oerfel. Ond nid ar ei ben ei hun yr oedd y Twrch:— roedd ei deulu yno efo fo. Cyn mynd yn agos atyn nhw dyma Menw'n ei droi ei hun yn aderyn ac yna'n dod i lawr o'r awyr uwchben gwâl y moch ac yn ceisio cipio un o'r tlysau oedd rhwng dwy glust y Twrch. Ond 'chafodd o ddim byd ond un gwrychyn, sef un o'r blew garw a oedd ar war y creadur. Ar hyn cododd y Twrch yn horwth mawr a'i ysgwyd ei hun nes bod gwenwyn yn tasgu ohono. Ac, yn wir, fe ddisgynnodd peth o'r gwenwyn ar Fenw. A 'fu hwnnw byth yr un fath wedyn oherwydd iddo gael ei wenwyno.

PAIR DIWRNACH WYDDEL

Tra oedd Menw'n chwilio am y Twrch Trwyth penderfynodd Arthur anfon negesydd at frenin Iwerddon, Odgar fab Aedd. Hwnnw oedd y gŵr a dynnodd ysgithr Ysgithrwyn y Pen Baedd, – ar ôl yr antur honno'r oedd wedi dychwelyd i'w wlad. Roedd y negesydd i fod i ofyn iddo a fedrai berswadio ei was, Diwrnach Wyddel, i roi ei Bair i'r Brenin Arthur. Fe gofiwch fod Ysbaddaden wedi dweud bod yn rhaid cael Pair Diwrnach Wyddel i ferwi bwyd i'r gwesteion ym mhriodas Culhwch ac Olwen.

Ar ôl clywed geiriau'r negesydd fe ofynnodd Odgar i Ddiwrnach roi'r Pair. "Duw a ŵyr," meddai Diwrnach, "petai'r Brenin Arthur yma'n gofyn am gael dim ond *edrych* ar fy mhair i, 'wnawn i byth adael iddo! Ac os na adawa i iddo edrych ar fy mhair i, siawns wael iawn sydd ganddo i'w *gael* o. 'Dydw i ddim am roi fy mhair. Na. Na. Na."

Daeth negesydd Arthur â'r "Na" yma yn ei ôl i'r llys yn y Gelli Wig yng Nghernyw. Ar ôl clywed yr ateb, fe gychwynnodd Arthur ac ychydig o'i filwyr am Iwerddon yn ei long, 'Prydwen'. Ac wedi cyrraedd yno dyma nhw'n cychwyn am dŷ Diwrnach Wyddel. Gwelodd llu Odgar, brenin Iwerddon, faint o filwyr oedd gan Arthur. Ar ôl gweld byddin mor fach oedd hi, fe roddodd Odgar wahoddiad i Arthur a'i filwyr fwyta ac yfed gydag o a'i filwyr. Yna fe ofynnodd Arthur am y Pair. Diwrnach ei hun a atebodd, "Petawn i am roi'r pair yma i unrhyw un, fe fuaswn i'n sicr yn ei roi o am fod Odgar, fy mrenin i a brenin Iwerddon, yn gorchymyn hynny. 'Fuaswn i ddim yn breuddwydio am ei roi am fod Arthur, brenin Prydain, yn gofyn. 'Dydw i ddim am roi'r pair i neb," meddai. "Na. Na. Na."

Ar ôl yr ail "Na", dyma Bedwyr yn codi, cydio yn y Pair a'i roi ar gefn Hygwydd, gwas Arthur. Cydiodd milwr o'r enw Llenlleawg yng Nghaledfwlch, cleddyf Arthur, a'i droi mewn cylch gan ladd Diwrnach Wyddel a'i filwyr i gyd.

Wedyn dyma hi'n helynt go iawn, achos fe ddaeth holl luoedd Iwerddon i ymladd yn erbyn Arthur a'i ychydig wŷr. Ond 'fu Arthur a'i filwyr fawr o dro cyn gwneud iddyn nhw ddianc. Ar ôl i holl luoedd Iwerddon ffoi dyma Arthur a'i wŷr yn mynd â'r Pair gyda nhw i'w llong – ar ôl ei lenwi'n llawn o drysorau Iwerddon. A thra oedden nhw'n gwneud hyn i gyd, dyna lle'r oedd lluoedd Iwerddon yn sbïo o bell, heb fentro gwneud dim!

Glaniodd Arthur a'i ychydig wŷr ym Mhorth Cerddin yn Nyfed. Ac y mae lle yn fan'no o'r enw 'Mesur y Pair'.

HELA'RTWRCH A'I DEULU

rbyn hyn roedd Menw, er ei fod wedi ei wenwyno, wedi medru llusgo'n ôl yn dila o Iwerddon. Dywedodd wrth Arthur am yr hyn a ddigwyddodd iddo gyda'r Twrch. Wedi clywed hyn dyma'r Brenin Arthur yn hel holl filwyr Prydain, a'r milwyr a oedd yn Ffrainc a Llydaw a Normandi ato. Dyma fo, hefyd, yn hel ato hynny o gŵn nodedig a cheffylau enwog a oedd yn y lluoedd hyn. Yna aeth yr holl lu mawr yma i Iwerddon, gan achosi ofn a chrynu mawr yno. Ac wedi i Arthur lanio, daeth saint Iwerddon ato i ofyn iddo eu cadw nhw'n ddiogel. Cytunodd yntau i hynny ac fe roddodd y saint eu bendith arno. Yna daeth gwŷr Iwerddon at Arthur a rhoi rhodd o fwyd iddo a chytuno i'w helpu.

Ar ôl hyn aeth Arthur a'i wŷr i Esgair Oerfel lle'r oedd y Twrch Trwyth a'i deulu, sef saith mochyn arall. Gollyngwyd y cŵn ar y moch hyn o bob ochr. A'r diwrnod hwnnw, hyd yr hwyr, ymladdodd milwyr Iwerddon â'r Twrch a'i foch. Ond er bod y fath lu'n ymladd yn ei erbyn fe lwyddodd y Twrch i ddifetha'r bumed ran o Iwerddon.

Y diwrnod wedyn ymladdodd llu Arthur yn erbyn y Twrch, ac er na lwyddodd hwnnw i beri llawer o niwed iddyn nhw, 'chawson hwythau fawr o hwyl arni chwaith.

Y trydydd dydd fe ddechreuodd Arthur ei hun ymladd yn erbyn y Twrch. Aeth y frwydr yn ei blaen am naw dydd a naw nos. Ac, yn y diwedd, dim ond un o foch y Twrch yr oedd Arthur wedi llwyddo i'w ladd! Wrth weld hyn

gofynnodd gwŷr Arthur iddo beth oedd hanes y fath Dwrch dychrynllyd.

"A!" meddai Arthur, "fe fu'r Twrch yma'n frenin unwaith, ond fe newidiodd Duw o'n fochyn am ei bechod a'i ddrygioni."

Y peth nesaf a ddigwyddodd oedd fod Arthur wedi anfon Gwrhyr Gwalstawd Ieithoedd i geisio siarad â'r Twrch. Aeth hwnnw, ar ffurf aderyn, a dod i lawr uwchben y wâl lle'r oedd y Twrch a'i deulu. A dyma Gwrhyr yn gofyn iddo,

"Er mwyn Duw, a'ch gwnaeth chi'n foch fel hyn, rydw i'n gofyn i un ohonoch chi ddod i siarad efo'r Brenin Arthur – os gellwch chi siarad."

Grugyn Gwrych Arian, un o foch y Twrch a atebodd – roedd gwrych hwn, sef y blew ar ei wegil o, yn arian i gyd. Roedd hi'n ddigon hawdd dilyn hwn gan fod ei wrych o'n disgleirio cymaint.

"Myn Duw, a'n newidiodd ni a'n gwneud ni fel yr ŷm ni'n awr," meddai Grugyn, "'smo ni'n mynd i ddod at Arthur na siarad yr un gair ag e'. Fe wnaeth Duw ddigon o ddrwg i ni drwy ein newid ni'n foch fel hyn heb i chi ddod i wneud mwy o ddrwg inni trwy ddod yma i ymladd â ni."

"Mi ddyweda i un peth sicir ichi," meddai Gwrhyr, "sef bod Arthur yn mynd i ymladd am y grib a'r siswrn a'r rasal sydd rhwng dwy glust y Twrch."

Atebodd Grugyn, "Bydd yn rhaid ichi ei ladd e' cyn y cewch chi'r tlysau yna. A bore fory rŷm ni am gychwyn odd'yma, ac fe awn ni i wlad Arthur ac achosi cymaint o ddrwg ag a allwn ni yno."

A chychwynnodd y Twrch Trwyth a'i foch am Gymru'r bore wedyn. Aeth Arthur a'i lu a'i geffylau a'i gŵn i'w long 'Prydwen', a chael ambell gipolwg ar y moch fel yr oedden nhw'n nofio yn y môr. Daeth y Twrch Trwyth ei hun i dir ym MHORTH CLAIS yn Nyfed a daeth ei foch i dir mewn mannau eraill. Ym MYNYW, sef Tyddewi, y glaniodd Arthur y noson honno.

Y diwrnod wedyn fe ddywedwyd wrth Arthur fod y Twrch wedi mynd heibio. Aeth Arthur a'i lu ar ei ôl a nesu ato fel yr oedd o'n lladd gwartheg rhyw ddyn. Ond cyn i Arthur gyrraedd roedd y Twrch yn barod wedi lladd pob dyn a phob anifail yn DAU GLEDDYF.

Pan gyrhaeddodd Arthur yno fe gychwynnodd y Twrch Trwyth am y PRESELAU. Yn y man daeth Arthur a'i luoedd i'r lle hwnnw. A gyrrodd Arthur ei wŷr i hela'r Twrch. O un ochr fe aeth Eli, a Thrachymyr, a Greid fab Eri yn dal ei gi, Drudwyn, ar dennyn: ac o ochr arall fe aeth Gwarthegydd fab Caw yn dal dau gi Glythfyr Lydewig ar dennyn, a Bedwyr yn dal Cafall, ci Arthur, ar dennyn. Yna fe wnaeth Arthur i'w filwyr i gyd ffurfio rhengoedd ar ddwy ochr NYFER. Fel yr oedd hyn yn digwydd cychwynnodd y Twrch o LYN NYFER a dod i GWM CERWYN, ac yno fe drodd i wynebu'r rhai a oedd yn ei hela. Ac yno fe laddodd bedwar o brif filwyr Arthur.

Ar ôl lladd y rhain, fe drodd y Twrch am yr ail waith i wynebu'r helwyr a lladd ychwaneg o filwyr Arthur. Ond fe gafodd yntau, y Twrch, ei glwyfo yn y lle yma.

Y bore wedyn, ar doriad y dydd, daeth rhai o filwyr Arthur i ymladd eto â'r Twrch. Lladdodd yntau lawer iawn o wŷr y wlad. Daeth Arthur ei hun yn ddigon agos at y Twrch i ymladd ag o ym MHELUNIAWG, ac yno fe laddodd y Twrch ychwaneg o wŷr. Ac wedi'r lladd, i ffwrdd â'r Twrch i ABER TYWI. Yno fe drodd eto a wynebu'r helwyr a lladd rhai ohonyn nhw. Oddi yno fe aeth i LYN YSTUN, ac yno fe gollodd y cŵn a'r gwŷr ei drywydd.

Galwodd Arthur ar Gwyn ap Nudd i ddod ato a gofyn a oedd yn gwybod unrhyw beth o hanes y Twrch Trwyth. Ond bu'n rhaid iddo gyfaddef na wyddai ddim byd am ei hynt.

Gan eu bod wedi colli trywydd y Twrch dyma nifer o'r helwyr yn mynd wedyn i hela ei deulu o foch i DDYFFRYN LLYCHWR. Ac yno fe dyrchodd y

ddau fochyn, Grugyn Gwrych Arian a Llwydawg Gomyniad, i'w canol nhw a lladd y cwbl ond un ohonyn nhw.

Ar ôl i hyn ddigwydd, yr hyn a wnaeth Arthur oedd dod â'i luoedd i'r lle'r oedd Grugyn a Llwydawg – sef moch y Twrch – a gollwng arnyn nhw bob un ci a oedd ganddo. Wrth i'r cŵn ruthro ar y moch roedd y rheini'n gweiddi a rhochian a gwichian, a'r cŵn eu hunain yn cyfarth a chwyrnu a choethi. Fe glywodd y Twrch y twrw mawr yma a dod yno i amddiffyn ei foch. A than hyn 'doedd y Twrch ddim wedi bod gyda'i foch er pan ddaethon nhw trwy fôr Iwerddon. Hyrddiodd yr helwyr a'r cŵn eu hunain arno. Heliodd y Twrch ei draed am FYNYDD AMANW ac yno y lladdwyd *banw* o'i foch, sef hwch. Yn dilyn hyn bu ymladd enbyd. A lladdwyd dau eraill o foch y Twrch.

Oddi yno aeth y Twrch a'i foch i DDYFFRYN AMANW, ac yno y lladdwyd dau arall o'i deulu, sef Banw a Benwig. Dim ond dau o foch y Twrch a aeth oddi yno'n fyw gydag o, a Grugyn Gwrych Arian a Llwydawg Gomyniad oedd y rheini.

O Ddyffryn Amanw symudodd y Twrch a'i ddau fochyn i LWCH EWIN ac yno dyma Arthur yn ei gornelu. Trodd yntau eto a wynebu Arthur a'i lu a'i gŵn. Yma eto llwyddodd i ladd llawer o wŷr a chŵn.

Symud eto. Y tro yma aeth y Twrch a'i ddau fochyn i LWCH TAWY. Yma fe wahanodd Grugyn â nhw a mynd i DDIN TYWI. Ac oddi yno fe aeth i GEREDIGION, a llawer o filwyr Arthur ar ei ôl. Yn y diwedd cyrhaeddodd i GARTH GRUGYN, ac yno y lladdwyd Grugyn ynghanol milwyr Arthur. Ond cyn iddo gael ei ladd roedd yntau wedi lladd llawer o'r milwyr.

I le o'r enw YSTRAD YW yr aeth yr unig un o foch y Twrch a oedd ar ôl, sef Llwydawg. Yno fe ddaeth milwyr Llydaw i'w gyfarfod. Fe laddodd nifer o wŷr Arthur cyn iddo yntau, yr olaf un o foch y Twrch, gael ei ladd.

Roedd y Twrch Trwyth rŵan ar ei ben ei hun. Fe aeth rhwng TAWY ac EWIAS. Gorchmynnodd Arthur i filwyr Cernyw a Dyfnaint ddod i'w gyfarfod yn ABER HAFREN. A dywedodd Arthur wrth filwyr ynys Prydain,

"Mae'r Twrch wedi lladd llawer o 'ngwŷr i. Rydw i'n tyngu llw nad aiff y baedd erchyll yma ddim i Gernyw tra bydda i byw. 'Dydw i ddim yn mynd i'w ymlid ac i redeg ar ei ôl o bellach, ond rydw i am fynd i ymladd ag o nes y bydd i un ohonom ni gael ei ladd. Gwnewch chwithau fel y mynnoch chi."

Wedyn dyma Arthur yn gorchymyn anfon byddin o farchogion efo cŵn hela Ynys Prydain i EWIAS. O'r fan honno dyma nhw'n mynd yn eu holau hyd HAFREN ac yno'n dod ar wartha'r Twrch ac yn ei yrru, o dipyn i beth, i HAFREN.

Aeth Mabon fab Modron ar gefn Gwyn Myngdwn, ceffyl Gweddw, yn dynn yn sodlau'r Twrch i Hafren, ac aeth Gorau fab Custennin, a Menw fab Teirgwaedd rhwng LLYN LLIWAN ac ABER GWY. Ac ymosododd Arthur a milwyr Prydain ar y Twrch. Dyma Osla Gyllellfawr, a Manawydan fab Llŷr a Chacamwri, a Gwyngelli yn cau amdano. Y peth cyntaf a wnaethon nhw oedd gafael yn ei draed a'i daflu i afon HAFREN nes bod y dŵr yn donnau drosto. Dyma Mabon fab Modron yn sbarduno'i geffyl ar un ochr i'r Twrch ac yn cipio'r rasal oddi arno. Ac o'r ochr arall dyma Cyledyr Wyllt yn rhuthro amdano ar gefn ei geffyl ac yn dwyn y siswrn oddi arno. Ond cyn i neb gael gafael ar y grib dyma'r Twrch yn cael daear dan ei draed ac yn dod i'r lan. Y funud y cyrhaeddodd y lan 'doedd na dyn na chi na cheffyl a allai gadw gydag o nes y daeth i GERNYW.

Roedd hi'n ddigon drwg ar rai o filwyr Arthur pan oedden nhw'n ceisio cipio'r rasal a'r siswrn a oedd rhwng clustiau'r Twrch, ond fe aeth pethau'n saith gwaeth ar ôl i'r Twrch eu gadael nhw. Roedd Cacamwri yn y dŵr a milwyr yn ceisio'i achub, ond fel yr oedden nhw'n ei dynnu i fyny roedd yna ddau faen melin mawr yn y dyfnder yn eu sugno i lawr. Osla Gyllellfawr oedd y llall a oedd yn y dŵr. Wrth iddo redeg ar ôl y Twrch roedd ei gyllell fawr wedi syrthio o'i gwain ac wedi mynd ar goll. Wedyn fe lenwodd ei wain fawr â dŵr ac fel yr oedd milwyr Arthur yn ei dynnu i fyny roedd pwysau'r wain yn ei dynnu yntau i lawr i'r dyfnder. Bu'n drafferth a helynt ofnadwy cyn y cafwyd y ddau o'r afon.

Dilynodd Arthur a'i luoedd y Twrch Trwyth hyd nes iddyn nhw ei gornelu yng NGHERNYW. Chwarae plant oedd yr helynt a gafwyd gyda'r Twrch cyn hyn o'i gymharu â'r helynt a gafwyd wrth geisio cael y grib a oedd rhwng ei glustiau. Dim ond drwy drafferth ofnadwy y cafwyd hi. Wedi ei chael hi dilynodd Arthur a'i filwyr y Twrch o Gernyw a'i yrru ar ei ben i'r môr. Ac felly ni chafwyd cyfle i ddefnyddio Cleddyf Wrnach Gawr i'w ladd. 'Ddaeth neb i wybod i ble'r aeth y Twrch wedyn, ond wrth nofio i'r môr mawr fe lusgodd ddau o helwyr Arthur gydag o.

A dyna ydi diwedd hanes y Twrch Trwyth. Aeth Arthur a'i filwyr yn ôl i'w lys yng Ngelli Wig yng Nghernyw i ymolchi ac i orffwyso a bwrw eu blinder.

GWAED Y WIDDON ORDDU

Ar ôl iddyn nhw ddod atynt eu hunain gofynnodd Arthur,

"A oes yna unrhyw beth arall a nododd Ysbaddaden nad ydym ni ddim wedi ei gael?"

"Oes, un peth," atebodd un o'i farchogion, "sef Gwaed y Widdon Orddu."

"O ie, y Wrach Ddu yna, merch y Widdon Orwen; honno'r wyt ti'n ei feddwl yntê?" holodd Arthur.

"Ie".

"Ymhle y mae hi?"

"Pennant Gofid,

Gwrthdir Uffern."

"I ffwrdd â ni 'te i chwilio am yr hen chwaer," meddai Arthur.

Ac i ffwrdd â nhw tua'r Gogledd a dod at ogof y wrach.

"Araf deg rŵan, Arthur," meddai Gwyn ap Nudd a Gwythyr fab Greidawl. "Beth am inni ollwng Cacamwri a Hygwydd, ei frawd, i ymladd efo madam?"

"Iawn," meddai Arthur.

Aeth y ddau hyn i mewn i'r ogof ac fel y daethon nhw yno dyma'r wrach yn rhuthro arnyn nhw. Dyma hi'n gafael yn Hygwydd gerfydd ei wallt, yn ei daflu i'r llawr ac yn eistedd arno. Wedyn dyma Cacamwri'n gafael yn ei gwallt hi ac yn ei thynnu hi oddi ar Hygwydd i'r llawr. Ar ôl i hyn ddigwydd dyma'r wrach yn troi ar Gacamwri hefyd, ac yn dechrau ei golbio fo a Hygwydd, dwyn eu harfau, a'u gyrru nhw allan yn gwichian ac yn gweiddi.

Wrth weld dau o'i farchogion ifainc wedi hanner eu lladd dyma Arthur yn cael y gwylltac yn ceisio rhuthro i mewn i'r ogof. Ond fe'i rhwystrwyd gan Gwyn a Gwythyr,

"'Dydi hi ddim yn iawn nac yn urddasol gweld gŵr mor bwysig ag wyt ti'n codi helynt efo gwrach, Arthur. Gollynga Hiramren a Hireiddil i'r ogof."

Ac i mewn i'r ogof â'r ddau farchog dewr hyn. Ond, yn wir, os bu hi'n ddrwg ar y ddau arall fe fu hi'n llawer gwaeth ar y ddau yma. Fe daflodd y wrach nhw o'r ogof fel dwy sach. Roedd golwg druenus iawn arnyn nhw a Duw a ŵyr sut y byddai'r rhain a'r ddau arwr arall wedi medru dod o'r lle petaen nhw heb gael eu cario ar gefn caseg Arthur.

Ar ôl y gwarth diwethaf hwn 'doedd yna ddim dal ar Arthur. Rhuthrodd i geg yr ogof, ac o'r fan honno dyma fo'n anelu am y Widdon Orddu â Charnwennan, ei gyllell. Dyma fo'n ei tharo hi ar draws ei chanol nes ei bod hi'n ddau hanner fel dau dwb. Daeth Cadw o Brydain yno'n sydyn i ddal ei gwaed hi i'w gadw'n gynnes yn ffiolau Gwyddolwyn Gorrach. Â'r gwaed hwn fe ellid meddalu barf a gwallt Ysbaddaden.

"Dyna ni wedi cael popeth rŵan," meddai Arthur. "Mae popeth yn barod ar gyfer priodas Culhwch."

PRIODAS CULHWCH AC OLWEN

c yna fe gychwynnodd Culhwch am lys Ysbaddaden, a chydag o'r oedd Gorau fab Custennin a phawb arall a oedd yn dymuno drwg i'r cawr. Ac roedd yr holl bethau'r oedd y cawr wedi eu nodi wrth Culhwch ganddyn nhw.

Wedi cyrraedd y llys roedd yn rhaid torri gwallt Ysbaddaden a'i eillio. A'r un a wnaeth y gwaith hwn oedd Cadw o Brydyn. Fe feddalodd flew'r Pencawr â Gwaed y Widdon Orddu. Yna cribodd wallt y Pencawr â'r grib a fu rhwng clustiau'r Twrch Trwyth ac yna fe dorrodd y gwallt â'r siswrn a fu yn yr un lle. Yna eilliodd farf Ysbaddaden ag ysgithr Ysgithrwyn y Pen Baedd ac â'r rasal a fu rhwng clustiau'r Twrch. Ond gwaith go flêr a wnaeth Cadw oherwydd fe eilliodd groen a chlustiau Ysbaddaden gyda'r blew!

"Wyt ti wedi d'eillio, gawr?" gofynnodd Culhwch.

"Wedi fy eillio," atebodd yntau.

"Ai fi biau Olwen dy ferch di rŵan?" gofynnodd wedyn.

"Ti piau hi," atebodd y cawr. "Ond paid â mynd i drafferth i ddiolch i mi am y ffafr fach yna – diolcha i dy gefnder, Arthur, y gŵr a wnaeth hyn i gyd yn bosib iti. A phetawn i wedi cael fy ffordd 'fuaset ti ddim wedi ei chael hi byth, byth, byth. A rŵan, mae hi'n hen bryd i mi adael y lle yma."

"Ydi wir," meddai Gorau fab Custennin. Ar hyn dyma fo'n cydio yn y cawr gerfydd ei ben a thrwy drafferth fawr yn ei lusgo allan i'r domen dail. Yna dyma fo'n torri ei ben a'i roi ar bolyn ar feili'r llys. Yna daeth Custennin a'i deulu, a oedd wedi dioddef mor ofnadwy dan Ysbaddaden, i gaer y Pencawr a'i chymryd hi a'r wlad.

Ac o'r noson honno fe fu Culhwch ac Olwen ynghyd, a hi fu ei unig wraig tra bu hi byw.

Gyda'r briodas hapus hon fe wasgarodd lluoedd Arthur ac aeth pawb o'r milwyr yn ôl i'w gwledydd eu hunain.

Ac fel yna y cafodd Culhwch Olwen, merch y Pencawr Ysbaddaden.

Gwasg Prifysgol Cymru, 6 Stryd Gwennyth, Caerdydd CF2 4YD

© Cyngor Celfyddydau Cymru, 1988 ⓗ

Manylion Catalogio Cyhoeddi (CIP) y Llyfrgell Brydeinig

Thomas, Gwyn, *1936-*
    Culhwch ac Olwen
    I. Teitl   II. Jones, Margaret, *1918-*
    891.6'632   PZ8.1

ISBN: 0-7083-1006-0

Cyfieithwyd y manylion catalogio cyhoeddi gan y cyhoeddwyr.

Cedwir pob hawl. Ni cheir atgynhyrchù unrhyw ran o'r cyhoeddiad hwn na'i gadw mewn cyfundrefn adferadwy na'i drosglwyddo mewn unrhyw ddull na thrwy unrhyw gyfrwng electronig, mecanyddol, ffotogopïo, recordio, nac fel arall, heb ganiatâd ymlaen llaw gan Wasg Prifysgol Cymru.

Comisiynwyd y lluniau a'r cyfaddasiad newydd o'r testun gan Gyngor Celfyddydau Cymru.

Cyhoeddir addasiad Saesneg o'r llyfr hwn gan Lutterworth Press, PO Box 60, Caer-grawnt.

Cysodwyd gan Afal, Caerdydd.

Argraffwyd yng ngwledydd Prydain gan W.S. Cowell Cyf.